CÓMO NOS VENDEN LA MOTO

CW01082175

Noam Chomsky e Ignacio Ramonet

CÓMO NOS VENDEN
LA MOTO

Icaria ✿ Más Madera

Traducción Chomsky: Joan Soler
Traducción Ramonet: María Méndez
Diseño de la cubierta: Josep Bagà

1.ª edición: mayo 1995
2.ª reimpresión: enero 1996
3.ª reimpresión: mayo 1996
4.ª reimpresión: octubre 1996
5.ª reimpresión: julio 1997
6.ª reimpresión: noviembre 1997
7.ª reimpresión: julio 1998
8.ª reimpresión: abril 1999
9.ª reimpresión: febrero 2000
10.ª reimpresión: octubre 2000

11.ª reimpresión: febrero 2001
12.ª reimpresión: junio 2001
13.ª reimpresión: noviembre 2001
14.ª reimpresión: mayo 2002
15.ª reimpresión: octubre 2002
16.ª reimpresión: mayo 2003
17.ª reimpresión: noviembre 2003
18.ª reimpresión: abril 2004
19.ª reimpresión: enero 2005

ISBN: 84-7426-245-3
Depósito legal: B-6.331-2005

Impreso por Romayà/Valls, s.a.
Verdaguer 1 / Capellades (Barcelona)

ÍNDICE

I. EL CONTROL DE LOS MEDIOS DE COMUNICACIÓN

Noam Chomsky

El papel de los medios de comunicación en la política contemporánea nos obliga a preguntar por el tipo de mundo y de sociedad en los que queremos vivir, y qué modelo de democracia queremos para esta sociedad. Permítaseme empezar contraponiendo dos conceptos distintos de democracia. Uno es el que nos lleva a afirmar que en una sociedad democrática, por un lado, la gente tiene a su alcance los recursos para participar de manera significativa en la gestión de sus asuntos particulares, y, por otro, los medios de información son libres e imparciales. Si se busca la palabra democracia en el diccionario se encuentra una definición bastante parecida a lo que acabo de formular.

Una idea alternativa de democracia es la de que no debe permitirse que la gente se haga cargo de sus propios asuntos, a la vez que los medios de información deben estar fuerte y rígidamente controlados. Quizás esto suene como una concepción anticuada de democracia, pero es importante entender que, en todo caso, es la idea predominante. De hecho lo ha sido durante mucho tiempo, no sólo en la práctica sino incluso en el plano teórico. No olvidemos además que tenemos una larga historia, que se remonta a las revoluciones democráticas modernas de la Inglaterra del siglo XVII, que en su mayor parte expresa este punto de vista. En cualquier caso voy a ceñirme simplemente al período moderno y acerca de la forma en que se desarrolla la noción de democracia, y sobre el modo y el porqué el problema de los medios de comunicación y la desinformación se ubican en este contexto.

Primeros apuntes históricos de la propaganda

Empecemos con la primera operación moderna de propaganda llevada a cabo por un gobierno. Ocurrió bajo el mandato de Woodrow Wilson. Este fue elegido presidente en 1916 como líder de la plataforma electoral *Paz sin victoria*, cuando se cruzaba el ecuador de la Primera Guerra Mundial. La población era muy pacifista y no veía ninguna razón para involucrarse en una guerra europea; sin embargo, la administración Wilson había decidido que el país tomaría parte en el conflicto. Había por tanto que hacer algo para inducir en la sociedad la idea de la obligación de participar en la guerra. Y se creó una comisión de propaganda gubernamental, conocida con el nombre de Comisión Creel, que, en seis meses, logró convertir una población pacífica en otra histérica y belicista que quería ir a la guerra y destruir todo lo que oliera a alemán, despedazar a todos los alemanes, y salvar así al mundo. Se alcanzó un éxito extraordinario que conduciría a otro mayor todavía: precisamente en aquella época y después de la guerra se utilizaron las mismas técnicas para avivar lo que se conocía como *Miedo rojo*. Ello permitió la destrucción de sindicatos y la eliminación de problemas tan peligrosos como la libertad de prensa o de pensamiento político. El poder financiero y empresarial y los medios de comunicación fomentaron y prestaron un gran apoyo a esta operación, de la que, a su vez, obtuvieron todo tipo de provechos.

Entre los que participaron activa y entusiásticamente en la guerra de Wilson estaban los intelectuales progresistas, gente del círculo de John Dewey Estos se mostraban muy orgullosos, como se deduce al leer sus escritos de la época, por haber demostrado que lo que ellos llamaban *los miembros más inteligentes de la comunidad,* es decir, ellos mismos, eran capaces de convencer a una población reticente de que había que ir a una guerra mediante el sistema de aterrorizarla y suscitar en ella un fanatismo patriotero. Los medios utilizados fueron muy amplios. Por ejemplo, se fabricaron montones de atrocidades supuestamente cometidas por los alemanes, en las que se incluían niños belgas con los miembros arrancados y todo tipo de cosas horribles que todavía se pueden leer en los libros de historia, buena parte de lo cual fue inventado por el Ministerio británico de propaganda, cuyo auténtico propósito en aquel momento —tal como queda reflejado en sus deliberaciones secretas— era el de dirigir *el pensamiento de la mayor parte del mundo.* Pero la cuestión clave era la de controlar el pensamiento de los miembros más inteligentes de la sociedad americana, quienes, a su vez, diseminarían la propaganda que estaba siendo elaborada y llevarían al pacífico país a la histeria propia de los tiempos de guerra. Y funcionó muy bien, al tiempo que nos enseñaba algo importante: cuando la propaganda que dimana del estado recibe el apoyo de las clases de un nivel cultural elevado y no se permite ninguna desviación en su contenido, el efecto puede ser enorme. Fue una lección que ya había aprendido Hitler y muchos otros, y cuya influencia ha llegado a nuestros días.

La democracia del espectador

Otro grupo que quedó directamente marcado por estos éxitos fue el formado por teóricos liberales y figuras destacadas de los medios de comunicación, como Walter Lippmann, que era el decano de los periodistas americanos, un importante analista político —tanto de asuntos domésticos como internacionales— así como un extraordinario teórico de la democracia liberal. Si se echa un vistazo a sus ensayos, se observará que están subtitulados con algo así como *Una teoría progresista sobre el pensamiento democrático liberal*. Lippmann estuvo vinculado a estas comisiones de propaganda y admitió los logros alcanzados, al tiempo que sostenía que lo que él llamaba *revolución en el arte de la democracia* podía utilizarse para *fabricar consenso,* es decir, para producir en la población, mediante las nuevas técnicas de propaganda, la aceptación de algo inicialmente no deseado. También pensaba que ello era no sólo una buena idea sino también necesaria, debido a que, tal como él mismo afirmó, *los intereses comunes esquivan totalmente a la opinión pública* y sólo una *clase especializada* de *hombres responsables* lo bastante inteligentes puede comprenderlos y resolver los problemas que de ellos se derivan. Esta teoría sostiene que sólo una élite reducida —la comunidad intelectual de que hablaban los seguidores de Dewey— puede entender cuáles son aquellos intereses comunes, qué es lo que nos conviene a todos, así como el hecho de que estas cosas *escapan a la gente en general*. En realidad, este enfoque se remonta a cientos de años atrás, es también un planteamiento típicamente leninista, de modo que existe una gran semejanza con la idea de que una vanguardia de intelectuales revolucionarios toma el poder mediante revoluciones populares que les proporcionan la fuerza necesaria para ello, para conducir después a las masas estúpidas a un futuro en el que estas son demasiado ineptas e incompetentes para imaginar y prever nada por sí mismas. Es así que la teoría democrática liberal y el marxismo-leninismo se encuentran muy cerca en sus supuestos ideológicos. En mi opinión, esta es una de las razones por las que los individuos, a lo largo del tiempo, han observado que era realmente fácil pasar de una posición a otra sin experimentar ninguna sensación específica de cambio. Sólo es cuestión de ver dónde está el poder. Es posible que haya una revolución popular que nos lleve a todos a asumir el poder del Estado; o quizás no la haya, en cuyo caso simplemente apoyaremos a los que detentan el poder real: la comunidad de las finanzas. Pero estaremos haciendo lo mismo: conducir a las masas estúpidas hacia un mundo en el que van a ser incapaces de comprender nada por sí mismas.

Lippmann respaldó todo esto con una teoría bastante elaborada sobre la democracia progresiva, según la cual en una democracia con un funcionamiento adecuado hay distintas clases de ciudadanos. En primer lugar, los ciudadanos que asumen algún papel activo en cuestiones generales relativas al gobierno y la administración. Es la clase especializada, formada por personas que analizan, toman decisiones, ejecutan, controlan y dirigen los procesos que se dan en los sistemas ideológicos, económicos y políticos, y que constituyen, asimismo, un porcentaje pequeño de la población total. Por supuesto, todo aquel que ponga en circulación las ideas citadas es parte de este grupo selecto, en el cual se habla primordialmente acerca de qué hacer con aquellos otros, quienes, fuera del grupo pequeño y siendo la mayoría de la población, constituyen lo que Lippmann llamaba *el rebaño desconcertado:* hemos de protegernos *de este rebaño desconcertado cuando brama y pisotea.* Así pues, en una democracia se dan dos *funciones:* por un lado, la clase especializada, los hombres responsables, ejercen la función ejecutiva, lo que significa que piensan, entienden y planifican los intereses comunes; por otro, el rebaño desconcertado también con una función en la democracia, que, según Lippmann, consiste en ser *espectadores* en vez de miembros participantes de forma activa. Pero, dado que estamos hablando de una democracia, estos últimos llevan a término algo más que una función: de vez en cuando gozan del favor de liberarse de ciertas cargas en la persona de algún miembro de la clase especializada; en otras palabras, se les permite decir *queremos que seas nuestro líder,* o, mejor, *queremos que tú seas nuestro líder,* y todo ello porque estamos en una democracia y no en un estado totalitario. Pero una vez se han liberado de su carga y traspasado esta a algún miembro de la clase especializada, se espera de ellos que se apoltronen y se conviertan en espectadores de la acción, no en participantes. Esto es lo que ocurre en una democracia que funciona como Dios manda.

Y la verdad es que hay una lógica detrás de todo eso. Hay incluso un principio moral del todo convincente: la gente es simplemente demasiado estúpida para comprender las cosas. Si los individuos trataran de participar en la gestión de los asuntos que les afectan o interesan, lo único que harían sería sólo provocar líos, por lo que resultaría impropio e inmoral permitir que lo hicieran. Hay que domesticar al rebaño desconcertado, y no dejarle que brame y pisotee y destruya las cosas, lo cual viene a encerrar la misma lógica que dice que sería incorrecto dejar que un niño de tres años cruzara solo la calle. No damos a los niños de tres años este tipo de libertad porque partimos de la base de que no saben cómo utilizarla. Por lo mismo, no se da ninguna facilidad para que los individuos del rebaño desconcertado participen en la acción; sólo causarían problemas.

Por ello, necesitamos algo que sirva para domesticar al rebaño perplejo; algo que viene a ser la nueva revolución en el arte de la democracia: la fabricación del consenso. Los medios de comunicación, las escuelas y la cultura popular tienen que estar divididos. La clase política y los responsables de tomar decisiones tienen que brindar algún sentido tolerable de realidad, aunque también tengan que inculcar las opiniones adecuadas. Aquí la premisa no declarada de forma explícita —e incluso los hombres responsables tienen que darse cuenta de esto ellos solos— tiene que ver con la cuestión de cómo se llega a obtener la autoridad para tomar decisiones. Por supuesto, la forma de obtenerla es sirviendo a la gente que tiene el poder real, que no es otra que los dueños de la sociedad, es decir, un grupo bastante reducido. Si los miembros de la clase especializada pueden venir y decir *Puedo ser útil a sus intereses,* entonces pasan a formar parte del grupo ejecutivo. Y hay que quedarse callado y portarse bien, lo que significa que han de hacer lo posible para que penetren en ellos las creencias y doctrinas que servirán a los intereses de los dueños de la sociedad, de modo que, a menos que puedan ejercer con maestría esta autoformación, no formarán parte de la clase especializada. Así, tenemos un sistema educacional, de carácter privado, dirigido a los hombres responsables, a la clase especializada, que han de ser adoctrinados en profundidad acerca de los valores e intereses del poder real, y del nexo corporativo que este mantiene con el Estado y lo que ello representa. Si pueden conseguirlo, podrán pasar a formar parte de la clase especializada. Al resto del rebaño desconcertado básicamente habrá que distraerlo y hacer que dirija su atención a cualquier otra cosa. Que nadie se meta en líos. Habrá que asegurarse que permanecen todos en su función de espectadores de la acción, liberando su carga de vez en cuando en algún que otro líder de entre los que tienen a su disposición para elegir.

Muchos otros han desarrollado este punto de vista, que, de hecho, es bastante convencional. Por ejemplo, el destacado teólogo y crítico de política internacional Reinold Niebuhr, conocido a veces como el *teólogo del sistema*, gurú de George Kennan y de los intelectuales de Kennedy, afirmaba que la racionalidad es una técnica, una habilidad, al alcance de muy pocos: sólo algunos la poseen, mientras que la mayoría de la gente se guía por las emociones y los impulsos. Aquellos que poseen la capacidad lógica tienen que crear *ilusiones necesarias y simplificaciones acentuadas* desde el punto de vista emocional, con objeto de que los bobalicones ingenuos vayan más o menos tirando. Este principio se ha convertido en un elemento sustancial de la ciencia política contemporánea. En la década de los años veinte y principios de la de los treinta, Harold Lasswell, fundador del moderno sector de las comunicaciones y uno de los analistas políticos americanos más destacados, explicaba que no deberíamos sucumbir a *ciertos dogmatismos democráticos que dicen que los hombres son los mejores jueces de sus intereses particulares.* Porque no lo son. Somos nosotros, decía, los mejores jueces de los intereses y asuntos públicos, por lo que, precisamente a partir de la moralidad más común, somos nosotros los que tenemos que asegurarnos de que ellos no van a gozar de la oportunidad de actuar basándose en sus juicios erróneos. En lo que hoy conocemos como estado totalitario, o estado militar, lo anterior resulta fácil. Es cuestión simplemente de blandir una porra sobre las cabezas de los individuos, y, si se apartan del camino trazado, golpearles sin piedad. Pero si la sociedad ha acabado siendo más libre y democrática, se pierde aquella capacidad, por lo que hay que dirigir la atención a las técnicas de propaganda. La lógica es clara y sencilla: la propaganda es a la democracia lo que la cachiporra al estado totalitario. Ello resulta acertado y conveniente dado que, de nuevo, los intereses públicos escapan a la capacidad de comprensión del rebaño desconcertado.

Relaciones públicas

Los Estados Unidos crearon los cimientos de la industria de las relaciones públicas. Tal como decían sus líderes, su compromiso consistía en *controlar la opinión pública.* Dado que aprendieron mucho de los éxitos de la Comisión Creel y del *miedo rojo*, y de las secuelas dejadas por ambos, las relaciones públicas experimentaron, a lo largo de la década de 1920, una enorme expansión, obteniéndose grandes resultados a la hora de conseguir una subordinación total de la gente a las directrices procedentes del mundo empresarial a lo largo de la década de 1920. La situación llegó a tal extremo que en la década siguiente los comités del Congreso empezaron a investigar el fenómeno. De estas pesquisas proviene buena parte de la información de que hoy día disponemos.

Las relaciones públicas constituyen una industria inmensa que mueve, en la actualidad, cantidades que oscilan en torno a un billón de dólares al año, y desde siempre su cometido ha sido el de *controlar la opinión pública,* que es el mayor peligro al que se enfrentan las corporaciones. Tal como ocurrió durante la Primera Guerra Mundial, en la década de 1930 surgieron de nuevo grandes problemas: una gran depresión unida a una cada vez más numerosa clase obrera en proceso de organización. En 1935, y gracias a la Ley Wagner, los trabajadores consiguieron su primera gran victoria legislativa, a saber, el derecho a organizarse de manera independiente, logro que planteaba dos graves problemas. En primer lugar, la democracia estaba funcionando bastante mal: el rebaño desconcertado estaba consiguiendo victorias en el terreno legislativo, y no era ese el modo en que se suponía que tenían que ir las cosas; el otro problema eran las posibilidades cada vez mayores del pueblo para organizarse. Los individuos tienen que estar atomizados, segregados y solos; no puede ser que pretendan organizarse, porque en ese caso podrían convertirse en algo más que simples espectadores pasivos. Efectivamente, si hubiera muchos individuos de recursos limitados que se agruparan para intervenir en el ruedo político, podrían, de hecho, pasar a asumir el papel de participantes activos, lo cual sí sería una verdadera amenaza. Por ello, el poder empresarial tuvo una reacción contundente para asegurarse de que esa había sido la última victoria legislativa de las organizaciones obreras, y de que representaría también el principio del fin de esta desviación democrática de las organizaciones populares. Y funcionó. Fue la última victoria de los trabajadores en el terreno parlamentario, y, a partir de ese momento —aunque el número de afiliados a los sindicatos se incrementó durante la Segunda Guerra Mundial, acabada la cual empezó a bajar— la capacidad de actuar por la vía sindical fue cada vez menor. Y no por casualidad, ya que estamos hablando de la comunidad empresarial, que está gastando enormes sumas de dinero, a la vez que dedicando todo el tiempo y esfuerzo necesarios, en cómo afrontar y resolver estos problemas a través de la industria de las relaciones públicas y otras organizaciones, como la National Association of Manufacturers (Asociación nacional de fabricantes), la Business Roundtable (Mesa redonda de la actividad empresarial), etcétera. Y su principio es reaccionar en todo momento de forma inmediata para encontrar el modo de contrarrestar estas desviaciones democráticas.

La primera prueba se produjo un año más tarde, en 1937, cuando hubo una importante huelga del sector del acero en Johnstown, al oeste de Pensilvania. Los empresarios pusieron a prueba una nueva técnica de destrucción de las organizaciones obreras, que resultó ser muy eficaz. Y sin matones a sueldo que sembraran el terror entre los trabajadores, algo que ya no resultaba muy práctico, sino por medio de instrumentos más sutiles y eficientes de propaganda. La cuestión estribaba en la idea de que había que enfrentar a la gente contra los huelguistas, por los medios que fuera. Se presentó a estos como destructivos y perjudiciales para el conjunto de la sociedad, y contrarios a los intereses comunes, que eran los *nuestros,* los del empresario, el trabajador o el ama de casa, es decir, todos *nosotros.* Queremos estar unidos y tener cosas como la armonía y el orgullo de ser americanos, y trabajar juntos. Pero resulta que estos huelguistas malvados de ahí afuera son subversivos, arman jaleo, rompen la armonía y atentan contra el orgullo de América, y hemos de pararles los pies. El ejecutivo de una empresa y el chico que limpia los suelos tienen los mismos intereses. Hemos de trabajar todos juntos y hacerlo por el país y en armonía, con simpatía y cariño los unos por los otros. Este era, en esencia, el mensaje. Y se hizo un gran esfuerzo para hacerlo público; después de todo, estamos hablando del poder financiero y empresarial, es decir, el que controla los medios de información y dispone de recursos a gran escala, por lo cual funcionó, y de manera muy eficaz. Más adelante este método se conoció como la *fórmula Mohawk Valley*, aunque se le denominaba también *métodos científicos para impedir huelgas.* Se aplicó una y otra vez para romper huelgas, y daba muy buenos resultados cuando se trataba de movilizar a la opinión pública a favor de conceptos vacíos de contenido, como el orgullo de ser americano. ¿Quién puede estar en contra de esto? O la armonía. ¿Quién puede estar en contra? O, como en la guerra del golfo Pérsico, *apoyad a nuestras tropas.* ¿Quién podía estar en contra? O los lacitos amarillos. ¿Hay alguien que esté en contra? Sólo alguien completamente necio.

De hecho, ¿qué pasa si alguien le pregunta si da usted su apoyo a la gente de Iowa? Se puede contestar diciendo *Sí, le doy mi apoyo,* o *No, no la apoyo.* Pero ni siquiera es una pregunta: no significa nada. Esta es la cuestión. La clave de los eslóganes de las relaciones públicas como *Apoyad a nuestras tropas* es que no significan nada, o, como mucho, lo mismo que apoyar a los habitantes de Iowa. Pero, por supuesto había una cuestión importante que se podía haber resuelto haciendo la pregunta: *¿Apoya usted nuestra política?* Pero, claro, no se trata de que la gente se plantee cosas como esta. Esto es lo único que importa en la buena propaganda. Se trata de crear un eslogan que no pueda recibir ninguna oposición, bien al contrario, que todo el mundo esté a favor. Nadie sabe lo que significa porque no significa nada, y su importancia decisiva estriba en que distrae la atención de la gente respecto de preguntas que sí significan algo: *¿Apoya usted nuestra política?* Pero sobre esto no se puede hablar. Así que tenemos a todo el mundo discutiendo sobre el apoyo a las tropas: *Desde luego, no dejaré de apoyarles.* Por tanto, ellos han ganado. Es como lo del orgullo americano y la armonía. Estamos todos juntos, en torno a eslóganes vacíos, tomemos parte en ellos y asegurémonos de que no habrá gente mala en nuestro alrededor que destruya nuestra paz social con sus discursos acerca de la lucha de clases, los derechos civiles y todo este tipo de cosas.

Todo es muy eficaz y hasta hoy ha funcionado perfectamente. Desde luego consiste en algo razonado y elaborado con sumo cuidado: la gente que se dedica a las relaciones públicas no está ahí para divertirse; está haciendo un trabajo, es decir, intentando inculcar los valores correctos. De hecho, tienen una idea de lo que debería ser la democracia: un sistema en el que la clase especializada está entrenada para trabajar al servicio de los amos, de los dueños de la sociedad, mientras que al resto de la población se le priva de toda forma de organización para evitar así los problemas que pudiera causar. La mayoría de los individuos tendrían que sentarse frente al televisor y masticar religiosamente el mensaje, que no es otro que el que dice que lo único que tiene valor en la vida es poder consumir cada vez más y mejor y vivir igual que esta familia de clase media que aparece en la pantalla y exhibir valores como la armonía y el orgullo americano. La vida consiste en esto. Puede que usted piense que ha de haber algo más, pero en el momento en que se da cuenta que está solo, viendo la televisión, da por sentado que esto es todo lo que existe ahí afuera, y que es una locura pensar en que haya otra cosa. Y desde el momento en que está prohibido organizarse, lo que es totalmente decisivo, nunca se está en condiciones de averiguar si realmente está uno loco o simplemente se da todo por bueno, que es lo más lógico que se puede hacer.

Así pues, este es el ideal, para alcanzar el cual se han desplegado grandes esfuerzos. Y es evidente que detrás de él hay una cierta concepción: la de democracia, tal como ya se ha dicho. El rebaño desconcertado es un problema. Hay que evitar que brame y pisotee, y para ello habrá que distraerlo. Será cuestión de conseguir que los sujetos que lo forman se queden en casa viendo partidos de fútbol, culebrones o películas violentas, aunque de vez en cuando se les saque del sopor y se les convoque a corear eslóganes sin sentido, como *Apoyad a nuestras tropas.* Hay que hacer que conserven un miedo permanente, porque a menos que estén debidamente atemorizados por todos los posibles males que pueden destruirles, desde dentro o desde fuera, podrían empezar a pensar por sí mismos, lo cual es muy peligroso ya que no tienen la capacidad de hacerlo. Por ello es importante distraerles y marginarles.

Esta es una idea de democracia. De hecho, si nos remontamos al pasado, la última victoria legal de los trabajadores fue realmente en 1935, con la Ley Wagner. Después tras el inicio de la Primera Guerra Mundial, los sindicatos entraron en un declive, al igual que lo hizo una rica y fértil cultura obrera vinculada directamente con aquellos. Todo quedó destruido y nos vimos trasladados a una sociedad dominada de manera singular por los criterios empresariales. Era esta la única sociedad industrial, dentro de un sistema capitalista de Estado, en la que ni siquiera se producía el pacto social habitual que se podía dar en latitudes comparables. Era la única sociedad industrial —aparte de Sudáfrica, supongo— que no tenía un servicio nacional de asistencia sanitaria. No existía ningún compromiso para elevar los estándares mínimos de supervivencia de los segmentos de la población que no podían seguir las normas y directrices imperantes ni conseguir nada por sí mismos en el plano individual. Por otra parte, los sindicatos prácticamente no existían, al igual que ocurría con otras formas de asociación en la esfera popular. No había organizaciones políticas ni partidos: muy lejos se estaba, por tanto, del ideal, al menos en el plano estructural. Los medios de información constituían un monopolio corporativizado; todos expresaban los mismos puntos de vista. Los dos partidos eran dos facciones del partido del poder financiero y empresarial. Y así la mayor parte de la población ni tan solo se molestaba en ir a votar ya que ello carecía totalmente de sentido, quedando, por ello, debidamente marginada. Al menos este era el objetivo. La verdad es que el personaje más destacado de la industria de las relaciones públicas, Edward Bernays, procedía de la Comisión Creel. Formó parte de ella, aprendió bien la lección y se puso manos a la obra a desarrollar lo que él mismo llamó la *ingeniería del consenso,* que describió

21

como la *esencia de la democracia*. Los individuos capaces de fabricar consenso son los que tienen los recursos y el poder de hacerlo —la comunidad financiera y empresarial— y para ellos trabajamos.

Fabricación de la opinión

También es necesario recabar el apoyo de la población a las aventuras exteriores. Normalmente la gente es pacifista, tal como sucedía durante la Primera Guerra Mundial, ya que no ve razones que justifiquen la actividad bélica, la muerte y la tortura. Por ello, para procurarse este apoyo hay que aplicar ciertos estímulos; y para estimularles hay que asustarles. El mismo Bernays tenía en su haber un importante logro a este respecto, ya que fue el encargado de dirigir la campaña de relaciones públicas de la United Fruit Company en 1954, cuando los Estados Unidos intervinieron militarmente para derribar al gobierno democrático-capitalista de Guatemala e instalaron en su lugar un régimen sanguinario de escuadrones de la muerte, que se ha mantenido hasta nuestros días a base de repetidas infusiones de ayuda norteamericana que tienen por objeto evitar algo más que desviaciones democráticas vacías de contenido. En estos casos, es necesario hacer tragar por la fuerza una y otra vez programas domésticos hacia los que la gente se muestra contraria, ya que no tiene ningún sentido que el público esté a favor de programas que le son perjudiciales. Y esto, también, exige una propaganda amplia y general, que hemos tenido oportunidad de ver en muchas ocasiones durante los últimos diez años. Los programas de la era Reagan eran abrumadoramente impopulares.

Los votantes de la *victoria arrolladora* de Reagan en 1984 esperaban, en una proporción de tres a dos, que no se promulgaran las medidas legales anunciadas. Si tomamos programas concretos, como el gasto en armamento, o la reducción de recursos en materia de gasto social, etc., prácticamente todos ellos recibían una oposición frontal por parte de la gente. Pero en la medida en que se marginaba y apartaba a los individuos de la cosa pública y estos no encontraban el modo de organizar y articular sus sentimientos, o incluso de saber que había otros que compartían dichos sentimientos, los que decían que preferían el gasto social al gasto militar —y lo expresaban en los sondeos, tal como sucedía de manera generalizada— daban por supuesto que eran los únicos con tales ideas disparatadas en la cabeza. Nunca habían oído estas cosas de nadie más, ya que había que suponer que nadie pensaba así; y si lo había, y era sincero en las encuestas, era lógico pensar que se trataba de un bicho raro. Desde el momento en que un individuo no encuentra la manera de unirse a otros que comparten o refuerzan este parecer y que le pueden transmitir la ayuda necesaria para articularlo, acaso llegue a sentir que es alguien excéntrico, una rareza en un mar de normalidad. De modo que acaba permaneciendo al margen, sin prestar atención a lo que ocurre, mirando hacia otro lado, como por ejemplo la final de Copa.

Así pues, hasta cierto punto se alcanzó el ideal, aunque nunca de forma completa, ya que hay instituciones que hasta ahora ha sido imposible destruir: por ejemplo, las iglesias. Buena parte de la actividad disidente de los Estados Unidos se producía en las iglesias por la sencilla razón de que estas existían. Por ello, cuando había que dar una conferencia de carácter político en un país europeo era muy probable que se celebrara en los locales de algún sindicato, cosa harto difícil en América ya que, en primer lugar, estos apenas existían o, en el mejor de los casos, no eran organizaciones políticas. Pero las iglesias sí existían, de manera que las charlas y conferencias se hacían con frecuencia en ellas: la solidaridad con Centroamérica se originó en su mayor parte en las iglesias, sobre todo porque existían.

El rebaño desconcertado nunca acaba de estar debidamente domesticado: es una batalla permanente. En la década de 1930 surgió otra vez, pero se pudo sofocar el movimiento. En los años sesenta apareció una nueva ola de disidencia, a la cual la clase especializada le puso el nombre de *crisis de la democracia*. Se consideraba que la democracia estaba entrando en una crisis porque amplios segmentos de la población se estaban organizando de manera activa y estaban intentando participar en la arena política. El conjunto de élites coincidían en que había que aplastar el renacimiento democrático de los sesenta y poner en marcha un sistema social en el que los recursos se canalizaran hacia las clases acaudaladas y privilegiadas. Y aquí hemos de volver a las dos concepciones de democracia que hemos mencionado en párrafos anteriores. Según la definición del diccionario, lo anterior constituye una avance en democracia; según el criterio predominante, es un problema, una crisis que ha ser vencida. Había que obligar a la población a que retrocediera y volviera a la apatía, la obediencia y la pasividad, que conforman su estado natural, para lo cual se hicieron grandes esfuerzos, si bien no funcionó. Afortunadamente, la crisis de la democracia todavía está vivita y coleando, aunque no ha resultado muy eficaz a la hora de conseguir un cambio político. Pero, contrariamente a lo que mucha gente cree, sí ha dado resultados en lo que se refiere al cambio de la opinión pública.

Después de la década de 1960 se hizo todo lo posible para que la enfermedad diera marcha atrás. La verdad es que uno de los aspectos centrales de dicho mal tenía un nombre técnico: el *síndrome de Vietnam,* término que surgió en torno a 1970 y que de vez en cuando encuentra nuevas definiciones. El intelectual reaganista Norman Podhoretz habló de él como *las inhibiciones enfermizas respecto al uso de la fuerza militar.* Pero resulta que era la mayoría de la gente la que experimentaba dichas inhibiciones contra la violencia, ya que simplemente no entendía por qué había que ir por el mundo torturando, matando o lanzando bombardeos intensivos. Como ya supo Goebbels en su día, es muy peligroso que la población se rinda ante estas inhibiciones enfermizas, ya que en ese caso habría un límite a las veleidades aventureras de un país fuera de sus fronteras. Tal como decía con orgullo el *Washington Post* durante la histeria colectiva que se produjo durante la guerra del golfo Pérsico, es necesario infundir en la gente respeto por los *valores marciales.* Y eso sí es importante. Si se quiere tener una sociedad violenta que avale la utilización de la fuerza en todo el mundo para alcanzar los fines de su propia élite doméstica, es necesario valorar debidamente las virtudes guerreras y no esas inhibiciones achacosas acerca del uso de la violencia. Esto es el síndrome de Vietnam: hay que vencerlo.

La representación como realidad

También es preciso falsificar totalmente la historia. Ello constituye otra manera de vencer esas inhibiciones enfermizas, para simular que cuando atacamos y destruimos a alguien lo que estamos haciendo en realidad es proteger y defendernos a nosotros mismos de los peores monstruos y agresores, y cosas por el estilo. Desde la guerra del Vietnam se ha realizado un enorme esfuerzo por reconstruir la historia. Demasiada gente, incluidos gran número de soldados y muchos jóvenes que estuvieron involucrados en movimientos por la paz o antibelicistas, comprendía lo que estaba pasando. Y eso no era bueno. De nuevo había que poner orden en aquellos malos pensamientos y recuperar alguna forma de cordura, es decir, la aceptación de que sea lo que fuere lo que hagamos, ello es noble y correcto. Si bombardeábamos Vietnam del Sur, se debía a que estábamos defendiendo el país de alguien, esto es, de los sudvietnamitas, ya que allí no había nadie más. Es lo que los intelectuales kenedianos denominaban defensa contra la *agresión interna* en Vietnam del Sur, expresión acuñada por Adlai Stevenson, entre otros. Así pues, era necesario que esta fuera la imagen oficial e inequívoca; y ha funcionado muy bien, ya que si se tiene el control absoluto de los medios de comunicación y el sistema educativo y la intelectualidad son conformistas, puede surtir efecto cualquier política. Un indicio de ello se puso de manifiesto en un estudio llevado a cabo en la Universidad de Massachusetts sobre las diferentes actitudes ante la crisis del Golfo Pérsico, y que se centraba en las opiniones que se manifestaban mientras se veía la televisión. Una de las preguntas de dicho estudio era: ¿Cuantas víctimas vietnamitas calcula usted que hubo durante la guerra del Vietnam? La respuesta promedio que se daba era *en torno a 100.000*, mientras que las cifras oficiales hablan de dos millones, y las reales probablemente sean de tres o cuatro millones.

Los responsables del estudio formulaban a continuación una pregunta muy oportuna: ¿Qué pensaríamos de la cultura política alemana si cuando se le preguntara a la gente cuantos judíos murieron en el Holocausto la respuesta fuera *unos 300.000?* La pregunta quedaba sin respuesta, pero podemos tratar de encontrarla. ¿Qué nos dice todo esto sobre nuestra cultura? Pues bastante: es preciso vencer las inhibiciones enfermizas respecto al uso de la fuerza militar y a otras desviaciones democráticas. Y en este caso dio resultados satisfactorios y demostró ser cierto en todos los terrenos posibles: tanto si elegimos Próximo Oriente, el terrorismo internacional o Centroamérica. El cuadro del mundo que se presenta a la gente no tiene la más mínima relación con la realidad, ya que la verdad sobre cada asunto queda enterrada bajo montañas de mentiras. Se ha alcanzado un éxito extraordinario en el sentido de disuadir las amenazas democráticas, y lo realmente interesante es que ello se ha producido en condiciones de libertad. No es como en un estado totalitario, donde todo se hace por la fuerza. Esos logros son un fruto conseguido sin violar la libertad. Por ello, si queremos entender y conocer nuestra sociedad, tenemos que pensar en todo esto, en estos hechos que son importantes para todos aquellos que se interesan y preocupan por el tipo de sociedad en el que viven.

La cultura disidente

A pesar de todo, la cultura disidente sobrevivió, y ha experimentado un gran crecimiento desde la década de los sesenta. Al principio su desarrollo era sumamente lento, ya que, por ejemplo, no hubo protestas contra la guerra de Indochina hasta algunos años después de que los Estados Unidos empezaran a bombardear Vietnam del Sur. En los inicios de su andadura era un reducido movimiento contestatario, formado en su mayor parte por estudiantes y jóvenes en general, pero hacia principios de los setenta ya había cambiado de forma notable. Habían surgido movimientos populares importantes: los ecologistas, las feministas, los antinucleares, etcétera. Por otro lado, en la década de 1980 se produjo una expansión incluso mayor y que afectó a todos los movimientos de solidaridad, algo realmente nuevo e importante al menos en la historia de América y quizás en toda la disidencia mundial. La verdad es que estos eran movimientos que no sólo protestaban sino que se implicaban a fondo en las vidas de todos aquellos que sufrían por alguna razón en cualquier parte del mundo. Y sacaron tan buenas lecciones de todo ello, que ejercieron un enorme efecto civilizador sobre las tendencias predominantes en la opinión pública americana. Y a partir de ahí se marcaron diferencias, de modo que cualquiera que haya estado involucrado es este tipo de actividades durante algunos años ha de saberlo perfectamente. Yo mismo soy consciente de que el tipo de conferencias que doy en la actualidad en las regiones más reaccionarias del país —la Georgia central, el Kentucky rural— no las podría haber pronunciado, en el momento culminante del movimiento pacifista, ante una audiencia formada por los elementos más activos de dicho movimiento. Ahora, en cambio, en ninguna parte hay ningún problema. La gente puede estar o no de acuerdo, pero al menos comprende de qué estás hablando y hay una especie de terreno común en el que es posible cuando menos entenderse.

A pesar de toda la propaganda y de todos los intentos por controlar el pensamiento y fabricar el consenso, lo anterior constituye un conjunto de signos de efecto civilizador. Se está adquiriendo una capacidad y una buena disposición para pensar las cosas con el máximo detenimiento. Ha crecido el escepticismo acerca del poder. Han cambiado muchas actitudes hacia un buen número de cuestiones, lo que ha convertido todo este asunto en algo lento, quizá incluso frío, pero perceptible e importante, al margen de si acaba siendo o no lo bastante rápido como para influir de manera significativa en los aconteceres del mundo. Tomemos otro ejemplo: la brecha que se ha abierto en relación al género. A principios de la década de 1960 las actitudes de hombres y mujeres eran aproximadamente las mismas en asuntos como las *virtudes castrenses,* igual que lo eran las inhibiciones enfermizas respecto al uso de la fuerza militar. Por entonces, nadie, ni hombres ni mujeres, se resentía a causa de dichas posturas, dado que las respuestas coincidían: todo el mundo pensaba que la utilización de la violencia para reprimir a la gente de por ahí estaba justificada. Pero con el tiempo las cosas han cambiado. Aquellas inhibiciones han experimentado un crecimiento lineal, aunque al mismo tiempo ha aparecido un desajuste que poco a poco ha llegado a ser sensiblemente importante y que según los sondeos ha alcanzado el 20%. ¿Qué ha pasado? Pues que las mujeres han formado un tipo de movimiento popular semiorganizado, el movimiento feminista, que ha ejercido una influencia decisiva, ya que, por un lado, ha hecho que muchas mujeres se dieran cuenta de que no estaban solas, de que había otras con quienes compartir las mismas ideas, y, por otro, en la organización se pueden apuntalar los pensamientos propios y aprender más acerca de las opiniones e ideas que cada uno tiene. Si bien estos movimientos son en cierto modo informales, sin carácter militante, basados más bien en una disposición del ánimo en favor de las interacciones personales, sus efectos sociales han sido evidentes. Y este es el peligro de la democracia: si se pueden crear organizaciones, si la gente no permanece simplemente pegada al televisor, pueden aparecer estas ideas extravagantes, como las inhibiciones enfermizas respecto al uso de la fuerza militar. Hay que vencer estas tentaciones, pero no ha sido todavía posible.

Desfile de enemigos

En vez de hablar de la guerra pasada, hablemos de la guerra que viene, porque a veces es más útil estar preparado para lo que puede venir que simplemente reaccionar ante lo que ocurre. En la actualidad se está produciendo en los Estados Unidos —y no es el primer país en que esto sucede— un proceso muy característico. En el ámbito interno, hay problemas económicos y sociales crecientes que pueden devenir en catástrofes, y no parece haber nadie, de entre los que detentan el poder, que tenga intención alguna de prestarles atención. Si se echa una ojeada a los programas de las distintas administraciones durante los últimos diez años no se observa ninguna propuesta seria sobre lo que hay que hacer para resolver los importantes problemas relativos a la salud, la educación, los que no tienen hogar, los parados, el índice de criminalidad, la delincuencia creciente que afecta a amplias capas de la población, las cárceles, el deterioro de los barrios periféricos, es decir, la colección completa de problemas conocidos. Todos conocemos la situación, y sabemos que está empeorando. Sólo en los dos años que George Bush padre estuvo en el poder hubo tres millones más de niños que cruzaron el umbral de la pobreza, la deuda externa creció progresivamente, los estándares educativos experimentaron un declive, los salarios reales retrocedieron al nivel de finales de los años cincuenta para la gran mayoría de la población, y nadie hizo absolutamente nada para remediarlo. En estas circunstancias hay que desviar la atención del rebaño desconcertado ya que si empezara a darse cuenta de lo que ocurre podría no gustarle, porque es quien recibe directamente las consecuencias de lo anterior. Acaso entretenerles simplemente con la final de Copa o los culebrones no sea suficiente y haya que avivar en él el miedo a los enemigos. En los años treinta Hitler difundió entre los alemanes el miedo a los judíos y a los gitanos: había que machacarles como forma de autodefensa. Pero nosotros también tenemos nuestros métodos. A lo largo de la última década, cada año o a lo sumo cada dos, se fabrica algún monstruo de primera línea del que hay que defenderse. Antes los que estaban más a mano eran los rusos, de modo que había que estar siempre a punto de protegerse de ellos. Pero, por desgracia, han perdido atractivo como enemigo, y cada vez resulta más difícil utilizarles como tal, de modo que hay que hacer que aparezcan otros de nueva estampa. De hecho, la gente fue bastante injusta al criticar a George Bush por haber sido incapaz de expresar con claridad hacia dónde estábamos siendo impulsados, ya que hasta mediados de los años ochenta, cuando andábamos despistados se nos ponía constantemente el mismo disco: que vienen los rusos. Pero al perderlos como encarnación del lobo feroz hubo que fabricar otros, al igual que hizo el aparato de relaciones públicas reaganiano en su momento. Y así, precisamente con Bush, se empezó a utilizar a los terroristas internacionales, a los narcotraficantes, a los locos caudillos árabes o a Sadam Husein, el nuevo Hitler que iba a conquistar el mundo. Han tenido que hacerles aparecer a uno tras otro, asustando a la población, aterrorizándola, de forma que ha acabado muerta de miedo y apoyando cualquier iniciativa del poder. Así se han podido alcanzar extraordinarias victorias sobre Granada, Panamá, o algún otro ejército del Tercer Mundo al que se puede pulverizar antes siquiera de tomarse la molestia de mirar cuántos son. Esto da un gran alivio, ya que nos hemos salvado en el último momento.

Tenemos así, pues, uno de los métodos con el cual se puede evitar que el rebaño desconcertado preste atención a lo que está sucediendo a su alrededor, y permanezca distraído y controlado. Recordemos que la operación terrorista internacional más importante llevada a cabo hasta la fecha ha sido la operación Mongoose, a cargo de la administración Kennedy, a partir de la cual este tipo de actividades prosiguieron contra Cuba. Parece que no ha habido nada que se le pueda comparar ni de lejos, a excepción quizás de la guerra contra Nicaragua, si convenimos en denominar aquello también terrorismo. El Tribunal de La Haya consideró que aquello era algo más que una agresión.

Cuando se trata de construir un monstruo fantástico siempre se produce una ofensiva ideológica, seguida de campañas para aniquilarlo. No se puede atacar si el adversario es capaz de defenderse: sería demasiado peligroso. Pero si se tiene la seguridad de que se le puede vencer, quizá se le consiga despachar rápido y lanzar así otro suspiro de alivio.

Percepción selectiva

Esto ha venido sucediendo desde hace tiempo. En mayo de 1986 se publicaron las memorias del preso cubano liberado Armando Valladares, que causaron rápidamente sensación en los medios de comunicación. Voy a brindarles algunas citas textuales. Los medios informativos describieron sus revelaciones como «el relato definitivo del inmenso sistema de prisión y tortura con el que Castro castiga y elimina a la oposición política». Era «una descripción evocadora e inolvidable» de las «cárceles bestiales, la tortura inhumana [y] el historial de violencia de estado [bajo] todavía uno de los asesinos de masas de este siglo», del que nos enteramos, por fin, gracias a este libro, que «ha creado un nuevo despotismo que ha institucionalizado la tortura como mecanismo de control social» en el «infierno que era la Cuba en la que [Valladares] vivió». Esto es lo que apareció en el *Washington Post* y el *New York Times* en sucesivas reseñas. Las atrocidades de Castro —descrito como un «matón dictador»— se revelaron en este libro de manera tan concluyente que «sólo los intelectuales occidentales fríos e insensatos saldrán en defensa del tirano», según el primero de los diarios citados. Recordemos que estamos hablando de lo que le ocurrió a un hombre. Y supongamos que todo lo que se dice en el libro es verdad. No le hagamos demasiadas preguntas al protagonista de la historia. En una ceremonia celebrada en la Casa Blanca con motivo del Día de los Derechos Humanos, Ronald Reagan destacó a Armando Valladares e hizo mención especial de su coraje al soportar el sadismo del sangriento dictador cubano. A continuación, se le designó representante de los Estados Unidos en la Comisión de Derechos Humanos de las Naciones Unidas. Allí tuvo la oportunidad de prestar notables servicios en la defensa de los gobiernos de El Salvador y Guatemala en el momento en que estaban recibiendo acusaciones de cometer atrocidades a tan gran escala que cualquier vejación que Valladares pudiera haber sufrido tenía que considerarse forzosamente de mucha menor entidad. Así es como están las cosas.

La historia que viene ahora también ocurría en mayo de 1986, y nos dice mucho acerca de la fabricación del consenso. Por entonces, los supervivientes del Grupo de Derechos Humanos de El Salvador —sus líderes habían sido asesinados— fueron detenidos y torturados, incluyendo al director, Herbert Anaya. Se les encarceló en una prisión llamada La Esperanza, pero mientras estuvieron en ella continuaron su actividad de defensa de los derechos humanos, y, dado que eran abogados, siguieron tomando declaraciones juradas. Había en aquella cárcel 432 presos, de los cuales 430 declararon y relataron bajo juramento las torturas que habían recibido: aparte de la picana y otras atrocidades, se incluía el caso de un interrogatorio, y la tortura consiguiente, dirigido por un oficial del ejército de los Estados Unidos de uniforme, al cual se describía con todo detalle. Ese informe —160 páginas de declaraciones juradas de los presos— constituye un testimonio extraordinariamente explícito y exhaustivo, acaso único en lo referente a los pormenores de lo que ocurre en una cámara de tortura. No sin dificultades se consiguió sacarlo al exterior, junto con una cinta de vídeo que mostraba a la gente mientras testificaba sobre las torturas, y la *Marin County Interfaith Task Force* (Grupo de trabajo multiconfesional Marin County) se encargó de distribuirlo. Pero la prensa nacional se negó a hacer su cobertura informativa y las emisoras de televisión rechazaron la emisión del vídeo. Creo que como mucho apareció un artículo en el periódico local de Marin County, el *San Francisco Examiner*. Nadie iba a tener interés en aquello. Porque estábamos en la época en que no eran pocos *los intelectuales insensatos y ligeros de cascos* que estaban cantando alabanzas a José Napoleón Duarte y Ronald Reagan.

Anaya no fue objeto de ningún homenaje. No hubo lugar para él en el Día de los Derechos Humanos. No fue elegido para ningún cargo importante. En vez de ello fue liberado en un intercambio de prisioneros y posteriormente asesinado, al parecer por las fuerzas de seguridad siempre apoyadas militar y económicamente por los Estados Unidos. Nunca se tuvo mucha información sobre aquellos hechos: los medios de comunicación no llegaron en ningún momento a preguntarse si la revelación de las atrocidades que se denunciaban —en vez de mantenerlas en secreto y silenciarlas— podía haber salvado su vida.

Todo lo anterior nos enseña mucho acerca del modo de funcionamiento de un sistema de fabricación de consenso. En comparación con las revelaciones de Herbert Anaya en El Salvador, las memorias de Valladares son como una pulga al lado de un elefante. Pero no podemos ocuparnos de pequeñeces, lo cual nos conduce hacia la próxima guerra. Creo que cada vez tendremos más noticias sobre todo esto, hasta que tenga lugar la operación siguiente.

Sólo algunas consideraciones sobre lo último que se ha dicho, si bien al final volveremos sobre ello. Empecemos recordando el estudio de la Universidad de Massachusetts ya mencionado, ya que llega a conclusiones interesantes. En él se preguntaba a la gente si creía que los Estados Unidos debía intervenir por la fuerza para impedir la invasión ilegal de un país soberano o para atajar los abusos cometidos contra los derechos humanos. En una proporción de dos a uno la respuesta del público americano era afirmativa. Había que utilizar la fuerza militar para que se diera marcha atrás en cualquier caso de invasión o para que se respetaran los derechos humanos. Pero si los Estados Unidos tuvieran que seguir al pie de la letra el consejo que se deriva de la citada encuesta, habría que bombardear El Salvador, Guatemala, Indonesia, Damasco, Tel Aviv, Ciudad del Cabo, Washington, y una lista interminable de países, ya que todos ellos representan casos manifiestos, bien de invasión ilegal, bien de violación de derechos humanos. Si uno conoce los hechos vinculados a estos ejemplos, comprenderá perfectamente que la agresión y las atrocidades de Sadam Husein —que tampoco son de carácter extremo— se incluyen claramente dentro de este abanico de casos. ¿Por qué, entonces, nadie llega a esta conclusión? La respuesta es que nadie sabe lo suficiente. En un sistema de propaganda bien engrasado nadie sabrá de qué hablo cuando hago una lista como la anterior. Pero si alguien se molesta en examinarla con cuidado, verá que los ejemplos son totalmente apropiados.

Tomemos uno que, de forma amenazadora, estuvo a punto de ser percibido durante la guerra del Golfo. En febrero, justo en la mitad de la campaña de bombardeos, el gobierno del Líbano solicitó a Israel que observara la resolución 425 del Consejo de Seguridad de las Naciones Unidas, de marzo de 1978, por la que se le exigía que se retirara inmediata e incondicionalmente del Líbano. Después de aquella fecha ha habido otras resoluciones posteriores redactadas en los mismos términos, pero desde luego Israel no ha acatado ninguna de ellas porque los Estados Unidos dan su apoyo al mantenimiento de la ocupación. Al mismo tiempo, el sur del Líbano recibe las embestidas del terrorismo del estado judío, y no sólo brinda espacio para la ubicación de campos de tortura y aniquilamiento sino que también se utiliza como base para atacar a otras partes del país. Desde 1978, fecha de la resolución citada, el Líbano fue invadido, la ciudad de Beirut sufrió continuos bombardeos, unas 20.000 personas murieron —en torno al 80% eran civiles—, se destruyeron hospitales, y la población tuvo que soportar todo el daño imaginable, incluyendo el robo y el saqueo. Excelente... los Estados Unidos lo apoyaban. Es sólo un ejemplo. La cuestión está en que no vimos ni oímos nada en los medios de información acerca de todo ello, ni siquiera una discusión sobre si Israel y los Estados Unidos deberían cumplir la resolución 425 del Consejo de Seguridad, o cualquiera de las otras posteriores, del mismo modo que nadie solicitó el bombardeo de Tel Aviv, a pesar de los principios defendidos por dos tercios de la población. Porque, después de todo, aquello es una ocupación ilegal de un territorio en el que se violan los derechos humanos. Sólo es un ejemplo, pero los hay incluso peores. Cuando el ejército de Indonesia invadió Timor Oriental dejó un rastro de 200.000 cadáveres, cifra que no parece tener importancia al lado de otros ejemplos. El caso es que aquella invasión también recibió el apoyo claro y explícito de los Estados Unidos, que todavía prestan al gobierno indonesio ayuda diplomática y militar. Y podríamos seguir indefinidamente.

La guerra del Golfo

Veamos otro ejemplo. Vamos viendo cómo funciona un sistema de propaganda bien engrasado. Puede que la gente crea que el uso de la fuerza contra Iraq se debe a que América observa realmente el principio de que hay que hacer frente a las invasiones de países extranjeros o a las transgresiones de los derechos humanos por la vía militar, y que no vea, por el contrario, qué pasaría si estos principios fueran también aplicables a la conducta política de los Estados Unidos. Estamos ante un éxito espectacular de la propaganda.

Tomemos otro caso. Si se analiza detenidamente la cobertura periodística de la guerra desde el mes de agosto (1990), se ve, sorprendentemente, que faltan algunas opiniones de cierta relevancia. Por ejemplo, existe una oposición democrática iraquí de cierto prestigio, que, por supuesto, permanece en el exilio dada la quimera de sobrevivir en Iraq. En su mayor parte están en Europa y son banqueros, ingenieros, arquitectos, gente así, es decir, con cierta elocuencia, opiniones propias y capacidad y disposición para expresarlas. Pues bien, cuando Sadam Husein era todavía el amigo favorito de Bush y un socio comercial privilegiado, aquellos miembros de la oposición acudieron a Washington, según las fuentes iraquíes en el exilio, a solicitar algún tipo de apoyo a sus demandas de constitución de un parlamento democrático en Iraq. Y claro, se les rechazó de plano, ya que los Estados Unidos no estaban en absoluto interesados en lo mismo. En los archivos no consta que hubiera ninguna reacción ante aquello.

A partir de agosto fue un poco más difícil ignorar la existencia de dicha oposición, ya que cuando de repente se inició el enfrentamiento con Sadam Husein después de haber sido su más firme apoyo durante años, se adquirió también conciencia de que existía un grupo de demócratas iraquíes que seguramente tenían algo que decir sobre el asunto. Por lo pronto, los opositores se sentirían muy felices si pudieran ver al dictador derrocado y encarcelado, ya que había matado a sus hermanos, torturado a sus hermanas y les había mandado a ellos mismos al exilio. Habían estado luchando contra aquella tiranía que Ronald Reagan y George Bush habían estado protegiendo. ¿Por qué no se tenía en cuenta, pues, su opinión? Echemos un vistazo a los medios de información de ámbito nacional y tratemos de encontrar algo acerca de la oposición democrática iraquí desde agosto de 1990 hasta marzo de 1991: ni una línea. Y no es a causa de que dichos resistentes en el exilio no tengan facilidad de palabra, ya que hacen repetidamente declaraciones, propuestas, llamamientos y solicitudes, y, si se les observa, se hace difícil distinguirles de los componentes del movimiento pacifista americano. Están contra Sadam Husein y contra la intervención bélica en Iraq. No quieren ver cómo su país acaba siendo destruido, desean y son perfectamente conscientes de que es posible una solución pacífica del conflicto. Pero parece que esto no es políticamente correcto, por lo que se les ignora por completo. Así que no oímos ni una palabra acerca de la oposición democrática iraquí, y si alguien está interesado en saber algo de ellos puede comprar la prensa alemana o la británica. Tampoco es que allí se les haga mucho caso, pero los medios de comunicación están menos controlados que los americanos, de modo que, cuando menos, no se les silencia por completo.

Lo descrito, en los párrafos anteriores ha constituido un logro espectacular de la propaganda. En primer lugar, se ha conseguido excluir totalmente las voces de los demócratas iraquíes del escenario político, y, segundo, nadie se ha dado cuenta, lo cual es todavía más interesante. Hace falta que la población esté profundamente adoctrinada para que no haya reparado en que no se está dando cancha a las opiniones de la oposición iraquí, aunque, caso de haber observado el hecho, si se hubiera formulado la pregunta *¿por qué?*, la respuesta habría sido evidente: porque los demócratas iraquíes piensan por sí mismos; están de acuerdo con los presupuestos del movimiento pacifista internacional, y ello les coloca en fuera de juego.

Veamos ahora las razones que justificaban la guerra. Los agresores no podían ser recompensados por su acción, sino que había que detener la agresión mediante el recurso inmediato a la violencia: esto lo explicaba todo. En esencia, no se expuso ningún otro motivo. Pero, ¿es posible que sea esta una explicación admisible? ¿Defienden en verdad los Estados Unidos estos principios: que los agresores no pueden obtener ningún premio por su agresión y que esta debe ser abortada mediante el uso de la violencia? No quiero poner a prueba la inteligencia de quien me lea al repasar los hechos, pero el caso es que un adolescente que simplemente supiera leer y escribir podría rebatir estos argumentos en dos minutos. Pero nunca nadie lo hizo. Fijémonos en los medios de comunicación, en los comentaristas y críticos liberales, en aquellos que declaraban ante el Congreso, y veamos si había alguien que pusiera en entredicho la suposición de que los Estados Unidos era fiel de verdad a esos principios. ¿Se han opuesto los Estados Unidos a su propia agresión a Panamá, y se ha insistido, por ello, en bombardear Washington? Cuando se declaró ilegal la invasión de Namibia por parte de Sudáfrica, ¿impusieron los Estados Unidos sanciones y embargos de alimentos y medicinas? ¿Declararon la guerra? ¿Bombardearon Ciudad del Cabo? No, transcurrió un período de veinte años de *diplomacia discreta*. Y la verdad es que no fue muy divertido lo que ocurrió durante estos años, dominados por las administraciones de Reagan y Bush, en los que aproximadamente un millón y medio de personas fueron muertas a manos de Sudáfrica en los países limítrofes. Pero olvidemos lo que ocurrió en Sudáfrica y Namibia: aquello fue algo que no lastimó nuestros espíritus sensibles. Proseguimos con nuestra *diplomacia discreta* para acabar concediendo una generosa recompensa a los agresores. Se les concedió el puerto más importante de Namibia y numerosas ventajas que tenían que ver con su propia seguridad nacional. ¿Dónde está aquel famoso principio que defendemos? De nuevo, es un juego de niños el demostrar que aquellas no podían ser de ningún modo las razones para ir a la guerra, precisamente porque nosotros mismos no somos fieles a estos principios.

Pero nadie lo hizo; esto es lo importante. Del mismo modo que nadie se molestó en señalar la conclusión que se seguía de todo ello: que no había razón alguna para la guerra. Ninguna, al menos, que un adolescente no analfabeto no pudiera refutar en dos minutos. Y de nuevo estamos ante el sello característico de una cultura totalitaria. Algo sobre lo que deberíamos reflexionar ya que es alarmante que nuestro país sea tan dictatorial que nos pueda llevar a una guerra sin dar ninguna razón de ello y sin que nadie se entere de los llamamientos del Líbano. Es realmente chocante.

Justo antes de que empezara el bombardeo, a mediados de enero, un sondeo llevado a cabo por el *Washington Post* y la cadena ABC revelaba un dato interesante. La pregunta formulada era: si Iraq aceptara retirarse de Kuwait a cambio de que el Consejo de Seguridad estudiara la resolución del conflicto árabe-israelí, ¿estaría de acuerdo? Y el resultado nos decía que, en una proporción de dos a uno, la población estaba a favor. Lo mismo sucedía en el mundo entero, incluyendo a la oposición iraquí, de forma que en el informe final se reflejaba el dato de que dos tercios de los americanos daban un sí como respuesta a la pregunta referida. Cabe presumir que cada uno de estos individuos pensaba que era el único en el mundo en pensar así, ya que desde luego en la prensa nadie había dicho en ningún momento que aquello pudiera ser una buena idea. Las órdenes de Washington habían sido muy claras, es decir, hemos de estar en contra de cualquier *conexión,* es decir, de cualquier relación diplomática, por lo que todo el mundo debía marcar el paso y oponerse a las soluciones pacíficas que pudieran evitar la guerra. Si intentamos encontrar en la prensa comentarios o reportajes al respecto, sólo descubriremos una columna de Alex Cockburn en *Los Angeles Times,* en la que este se mostraba favorable a la respuesta mayoritaria de la encuesta.

Seguramente, los que contestaron la pregunta pensaban *estoy solo, pero esto es lo que pienso.* De todos modos, supongamos que hubieran sabido que no estaban solos, que había otros, como la oposición democrática iraquí, que pensaban igual. Y supongamos también que sabían que la pregunta no era una mera hipótesis, sino que, de hecho, Iraq había hecho precisamente la oferta señalada, y que esta había sido dada a conocer por el alto mando del ejército americano justo ocho días antes: el día 2 de enero. Se había difundido la oferta iraquí de retirada total de Kuwait a cambio de que el Consejo de Seguridad discutiera y resolviera el conflicto árabe-israelí y el de las armas de destrucción masiva. (Recordemos que los Estados Unidos habían estado rechazando esta negociación desde mucho antes de la invasión de Kuwait). Supongamos, asimismo, que la gente sabía que la propuesta estaba realmente encima de la mesa, que recibía un apoyo generalizado, y que, de hecho, era algo que cualquier persona racional haría si quisiera la paz, al igual que hacemos en otros casos, más esporádicos, en que precisamos de verdad repeler la agresión. Si suponemos que se sabía todo esto, cada uno puede hacer sus propias conjeturas. Personalmente doy por sentado que los dos tercios mencionados se habrían convertido, casi con toda probabilidad, en el 98% de la población. Y aquí tenemos otro éxito de la propaganda. Es casi seguro que no había ni una sola persona, de las que contestaron la pregunta, que supiera algo de lo referido en este párrafo porque seguramente pensaba que estaba sola. Por ello, fue posible seguir adelante con la política belicista sin ninguna oposición. Hubo mucha discusión, protagonizada por el director de la CIA, entre otros, acerca de si las sanciones serían eficaces o no. Sin embargo no se discutía la cuestión más simple: ¿habían funcionado las sanciones hasta aquel momento? Y la respuesta era que sí, que por lo visto habían dado resultados, seguramente hacia finales de agosto, y con más probabilidad hacia finales de diciembre. Es muy difícil pensar en otras razones que justifiquen las propuestas iraquíes de retirada, autentificadas o, en algunos casos, difundidas por el Estado Mayor estadounidense, que las consideraba serias y negociables. Así la pregunta que hay que hacer es: ¿Habían sido eficaces las sanciones? ¿Suponían una salida a la crisis? ¿Se vislumbraba una solución aceptable para la población en general, la oposición democrática iraquí y el mundo en su conjunto? Estos temas no se analizaron ya que para un sistema de propaganda eficaz era decisivo que no aparecieran como elementos de discusión, lo cual permitió al presidente del Comité Nacional Republicano decir que si hubiera habido un demócrata en el poder, Kuwait todavía no habría sido liberado. Puede decir esto y ningún demócrata se levantará y dirá que si hubiera sido presidente habría liberado Kuwait seis meses antes. Hubo entonces oportunidades que se podían haber aprovechado para hacer que la liberación se produjera sin que fuera necesaria la muerte de decenas de miles de personas ni ninguna catástrofe ecológica. Ningún demócrata dirá esto porque no hubo ningún demócrata que adoptara esta postura, si acaso con la excepción de Henry Gonzalez y Barbara Boxer, es decir, algo tan marginal que se puede considerar prácticamente inexistente.

Cuando los misiles Scud cayeron sobre Israel no hubo ningún editorial de prensa que mostrara su satisfacción por ello. Y otra vez estamos ante un hecho interesante que nos indica cómo funciona un buen sistema de propaganda, ya que podríamos preguntar ¿y por qué no? Después de todo, los argumentos de Sadam Husein eran tan válidos como los de George Bush: ¿cuáles eran, al fin y al cabo? Tomemos el ejemplo del Líbano. Sadam Husein dice que rechaza que Israel se anexione el sur del país, de la misma forma que reprueba la ocupación israelí de los Altos del Golán sirios y de Jerusalén Este, tal como ha declarado repetidamente por unanimidad el Consejo de Seguridad de las Naciones Unidas. Pero para el dirigente iraquí son inadmisibles la anexión y la agresión. Israel ha ocupado el sur del Líbano desde 1978 en clara violación de las resoluciones del Consejo de Seguridad, que se niega a aceptar, y desde entonces hasta el día de hoy ha invadido todo el país y todavía lo bombardea a voluntad. Es inaceptable. Es posible que Sadam Husein haya leído los informes de Amnistía Internacional sobre las atrocidades cometidas por el ejército israelí en la Cisjordania ocupada y en la franja de Gaza. Por ello, su corazón sufre. No puede soportarlo. Por otro lado, las sanciones no pueden mostrar su eficacia porque los Estados Unidos vetan su aplicación, y las negociaciones siguen bloqueadas. ¿Qué queda, aparte de la fuerza? Ha estado esperando durante años: trece en el caso del Líbano; veinte en el de los territorios ocupados.

Este argumento nos suena. La única diferencia entre este y el que hemos oído en alguna otra ocasión está en que Sadam Husein podía decir, sin temor a equivocarse, que las sanciones y las negociaciones no se pueden poner en práctica porque los Estados Unidos lo impiden. George Bush no podía decir lo mismo, dado que, en su caso, las sanciones parece que sí funcionaron, por lo que cabía pensar que las negociaciones también darían resultado: en vez de ello, el presidente americano las rechazó de plano, diciendo de manera explícita que en ningún momento iba a haber negociación alguna. ¿Alguien vio que en la prensa hubiera comentarios que señalaran la importancia de todo esto? No, ¿por qué?, es una trivialidad. Es algo que, de nuevo, un adolescente que sepa las cuatro reglas puede resolver en un minuto. Pero nadie, ni comentaristas ni editorialistas, llamaron la atención sobre ello. Nuevamente se pone de relieve, los signos de una cultura totalitaria bien llevada, y demuestra que la fabricación del consenso sí funciona.

Sólo otro comentario sobre esto último. Podríamos poner muchos ejemplos a medida que fuéramos hablando. Admitamos, de momento, que efectivamente Sadam Husein es un monstruo que quiere conquistar el mundo —creencia ampliamente generalizada en los Estados Unidos—. No es de extrañar, ya que la gente experimentó cómo una y otra vez le martilleaban el cerebro con lo mismo: está a punto de quedarse con todo; ahora es el momento de pararle los pies. Pero, ¿cómo pudo Sadam Husein llegar a ser tan poderoso? Iraq es un país del Tercer Mundo, pequeño, sin infraestructura industrial. Libró durante ocho años una guerra terrible contra Irán, país que en la fase posrevolucionaria había visto diezmado su cuerpo de oficiales y la mayor parte de su fuerza militar. Iraq, por su lado, había recibido una pequeña ayuda en esa guerra, al ser apoyado por la Unión Soviética, los Estados Unidos, Europa, los países árabes más importantes y las monarquías petroleras del Golfo. Y, aun así, no pudo derrotar a Irán. Pero, de repente, es un país preparado para conquistar el mundo. ¿Hubo alguien que destacara este hecho? La clave del asunto está en que era un país del Tercer Mundo y su ejército estaba formado por campesinos, y en que —como ahora se reconoce— hubo una enorme desinformación acerca de las fortificaciones, de las armas químicas, etc.; ¿hubo alguien que hiciera mención de todo aquello? No, no hubo nadie. Típico.

Fíjense que todo ocurrió exactamente un año después de que se hiciera lo mismo con Manuel Noriega. Este, si vamos a eso, era un gángster de tres al cuarto, comparado con los amigos de Bush, sean Sadam Husein o los dirigentes chinos, o con Bush mismo. Un desalmado de baja estofa que no alcanzaba los estándares internacionales que a otros colegas les daban una aureola de atracción. Aun así, se le convirtió en una bestia de exageradas proporciones que en su calidad de líder de los narcotraficantes nos iba a destruir a todos. Había que actuar con rapidez y aplastarle, matando a un par de cientos, quizás a un par de miles, de personas. Devolver el poder a la minúscula oligarquía blanca —en torno al 8% de la población— y hacer que el ejército estadounidense controlara todos los niveles del sistema político. Y había que hacer todo esto porque, después de todo, o nos protegíamos a nosotros mismos, o el monstruo nos iba a devorar. Pues bien, un año después se hizo lo mismo con Sadam Husein. ¿Alguien dijo algo? ¿Alguien escribió algo respecto a lo que pasaba y por qué? Habrá que buscar y mirar con mucha atención para encontrar alguna palabra al respecto.

Démonos cuenta de que todo esto no es tan distinto de lo que hacía la Comisión Creel cuando convirtió a una población pacífica en una masa histérica y delirante que quería matar a todos los alemanes para protegerse así misma de aquellos bárbaros que descuartizaban a los niños belgas. Quizás en la actualidad las técnicas son más sofisticadas, por la televisión y las grandes inversiones económicas, pero en el fondo viene a ser lo mismo de siempre.

Creo que la cuestión central, volviendo a mi comentario original, no es simplemente la manipulación informativa, sino, algo de dimensiones mucho mayores. Se trata de si queremos vivir en una sociedad libre o bajo lo que viene a ser una forma de totalitarismo autoimpuesto, en el que el rebaño desconcertado se encuentra, además, marginado, dirigido, amedrentado, sometido a la repetición inconsciente de eslóganes patrióticos, e imbuido de un temor reverencial hacia el líder que le salva de la destrucción, mientras que las masas que han alcanzado un nivel cultural superior marchan a toque de corneta repitiendo aquellos mismos eslóganes que, dentro del propio país, acaban degradados. Parece que la única alternativa esté en servir a un estado mercenario ejecutor, con la esperanza añadida de que otros vayan a pagarnos el favor de que les estemos destrozando el mundo. Estas son las opciones a las que hay que hacer frente. Y la respuesta a estas cuestiones está en gran medida en manos de gente como ustedes y yo.

II. PENSAMIENTO ÚNICO Y NUEVOS AMOS DEL MUNDO

Ignacio Ramonet

> De todas las ilusiones la más peligrosa
> consiste en pensar que no existe sino una
> sola realidad.
>
> PAUL WATZLAWICK

Parece ser una ficción de Jorge Luis Borges. En un reino lejano, un soberano magnífico y cruel, aferrado a los atributos de su poder, encerrado en su suntuoso palacio, al parecer no había visto que el mundo, imperceptiblemente, estaba cambiando a su alrededor. Hasta que llegó el día de la gran decisión. Entonces parece que, para su gran asombro, vio que sus órdenes no eran nada más que simples ruidos y no se traducían en actos. Al parecer el poder se había desplazado y el soberano magnífico había dejado de ser el amo del mundo.

Aquellos que en las grandes democracias libran interminables lides electorales por conquistar el poder, ¿no se arriesgan, en caso de victoria, a experimentar un desengaño semejante al del soberano de esta fábula? ¿Saben que el poder se ha movido? ¿Que ha desertado de esos espacios precisos que circunscribe lo político? ¿No están corriendo el peligro de mostrar muy pronto en público el espectáculo de su impotencia; de verse obligados a andarse con rodeos, retroceder, renegar de sus opiniones y reconocer que el verdadero poder está en otra parte, fuera de su alcance?

Un gran semanario francés publicaba una encuesta acerca de *los 50 hombres más influyentes del planeta*. Ni un solo jefe de estado o de gobierno, ni un ministro o diputado, de ningún país, figuraba en ella. Otro semanario dedicó su primera página a *el hombre más influyente del mundo*. ¿De quién se trataba? ¿Del Sr. William Clinton? ¿Del Papa Juan Pablo II? ¿Del Sr. Helmut Kohl? ¿Del Sr. Boris Yeltsin? No. Sencillamente del Sr. Bill Gates, patrón de Microsoft, que domina los mercados estratégicos de la comunicación y se dispone a controlar las autopistas de información. Las formidables conmociones científicas y tecnológicas de las dos últimas décadas han incentivado, en varios ámbitos, las tesis ultraliberales del *laissez faire, laissez passer*. Y la caída del muro de Berlín, la desaparición de la Unión Soviética y el derrumbamiento de los regímenes comunistas, por añadidura, las han alentado. La mundialización de intercambios de signos, en especial, se ha visto acelerada de un modo fabuloso gracias a la revolución de la informática y la comunicación. Estas, concretamente, han generado la explosión —los célebres *big bang*— de dos sectores, verdaderas columnas vertebrales de la sociedad moderna: los mercados financieros y las redes de información.

La transmisión de datos a la velocidad de la luz (300.000 kms por segundo), la numerización de textos, imágenes y sonidos, el hecho ya banal de recurrir a los satélites de telecomunicación, la revolución de la telefonía, la generalización de la informática en la mayoría de los sectores de producción y de servicios, la miniaturización de los ordenadores y su conexión en redes a escala planetaria, poco a poco han cambiado de arriba abajo el orden del mundo.

Muy especialmente el mundo de las finanzas. Este reúne las cuatro cualidades que hacen de él un modelo perfectamente adaptado al nuevo orden tecnológico: es inmaterial, inmediato, permanente y planetario. Atributos, por así decirlo, divinos y que, lógicamente, dan lugar a un nuevo culto, una nueva religión: la del mercado. Se intercambian instantáneamente, día y noche, datos de un extremo a otro de la Tierra. Las principales Bolsas están vinculadas entre sí y funcionan en bucle. Sin interrupción. Mientras que, a través del mundo, delante de sus pantallas electrónicas, millares de jóvenes superdiplomados, superdotados, pasan sus días colgados del teléfono. Son los expertos de la nueva ideología dominante: el pensamiento único. La que siempre tiene razón y ante la que todo argumento —con mayor motivo si es de orden social o humanitario— tiene que inclinarse.

En las democracias actuales, cada vez más ciudadanos libres se sienten enfangados, atrapados por esta viscosa doctrina que, imperceptiblemente, envuelve todo razonamiento rebelde, lo inhibe, lo paraliza y acaba por ahogarlo. Hay una sola doctrina, la del pensamiento único, autorizada por una invisible y omnipresente policía de la opinión.

Los mandamientos del pensamiento único

Desde la caída del muro de Berlín, el hundimiento de los regímenes comunistas y la desmoralización del socialismo, la altivez y la insolencia de esta doctrina han alcanzado tal grado que, sin exagerar, se puede calificar a este nuevo furor ideológico de dogmatismo moderno.

¿Qué es el pensamiento único? La traducción a términos ideológicos de pretensión universal de los intereses de un conjunto de fuerzas económicas, en especial, las del capital internacional. Se puede decir que está formulada y definida a partir de 1944, con ocasión de los acuerdos de Bretton-Woods. Sus fuentes principales son las grandes instituciones económicas y monetarias —Banco Mundial, Fondo Monetario Internacional, Organización de Cooperación y Desarrollo Económico, Acuerdo General sobre Tarifas Aduaneras y Comercio, Comisión Europea, Banco de Francia, etc.— quienes, mediante su financiación, afilian al servicio de sus ideas, en todo el planeta, a muchos centros de investigación, universidades y fundaciones que, a su vez, afinan y propagan la buena nueva.

Esta es recogida y reproducida por los principales órganos de información económica y principalmente por las *biblias* de inversores y especuladores de bolsa —*The Wall Street Journal, The Financial Times, The Economist, Far Eastern Economic Review, Agencia Reuter*, etc.— que suelen ser propiedad de grandes grupos industriales o financieros. En casi todas partes facultades de ciencias económicas, periodistas, ensayistas y también políticos, examinan de nuevo los principales mandamientos de estas nuevas tablas de la ley y, usando como repetidores los medios de comunicación de masas, los reiteran hasta la saciedad sabiendo a ciencia cierta que, en nuestra sociedad mediática, repetición vale por demostración.

El primer principio del pensamiento único es tanto más fuerte cuanto un marxista distraído no renegaría de él en absoluto: lo económico prima sobre lo político. Fundándose en este principio ocurrió, por ejemplo, que un instrumento tan importante como el Banco de Francia, se hizo independiente sin oposición notable en 1994 y, en cierto modo, *quedó a salvo de los azares políticos*. «El Banco de Francia es independiente, apolítico y transpartidario», afirma, en efecto, su gobernador, el señor Jean-Claude Trichet, quien añade no obstante: «Pedimos que se reduzcan los déficits públicos» y «pretendemos una estrategia de moneda estable». Como si estos dos objetivos no fueran políticos.

Se defiende en nombre del *realismo* y el *pragmatismo* —que el ensayista neoliberal Alain Minc formula de la manera siguiente: «El capitalismo no puede derrumbarse; es el estado natural de la sociedad. La democracia no es el estado natural de la sociedad. El mercado, sí»—. Se coloca a la economía en el puesto de mando. Una economía liberada, como es natural, del obstáculo de lo social, especie de ganga patética cuyo peso es, al parecer, causa de regresión y crisis.

Los otros conceptos clave del pensamiento único son conocidos: el mercado, cuya *mano invisible corrige las asperezas y disfunciones del capitalismo* y muy especialmente los mercados financieros cuyos *signos orientan y determinan el movimiento general de la economía;* la competencia y la competividad que *estimulan y dinamizan a las empresas llevándolas a una permanente y benéfica modernización;* el libre intercambio sin límites, *factor de desarrollo ininterrumpido del comercio y, por consiguiente, de la sociedad;* la mundialización, tanto de la producción manufacturera como de los flujos financieros; la división internacional del trabajo que *modera las reivindicaciones sindicales y abarata los costes salariales;* la moneda fuerte, *factor de estabilización;* la desreglamentación; la privatización; la liberalización, etc. Cada vez *menos de estado,* un arbitraje constante en favor de los ingresos del capital en detrimento de los del trabajo. Y una indiferencia con respecto al costo ecológico.

La repetición constante, en todos los medios de comunicación, de este catecismo por parte de los periodistas *de reverencia* y de casi todos los políticos, de derecha como de izquierda, le confiere una fuerza de intimidación tan grande que ahoga toda tentativa de reflexión libre y hace muy difícil la resistencia contra este nuevo oscurantismo.

Se puede llegar casi a considerar que los 17,4 millones de parados europeos, el desastre urbano, la precarización general, los suburbios a punto de estallar, el saqueo ecológico, el retorno de los racismos y la marea de marginados, son simples espejismos, alucinaciones culpables y altamente discordantes en este mundo feliz que está edificando, para nuestras conciencias anestesiadas, el pensamiento único.

Lo más frecuente, sin embargo, es que los mercados funcionen, por así decirlo, a ciegas, integrando parámetros tomados casi prestados de la brujería o de la psicología barata como: *la economía del rumor, el análisis de comportamientos gregarios, o incluso el estudio de los contagios miméticos.* Sobre todo porque, en virtud de sus nuevas características, el mercado financiero ha puesto a punto varias gamas de nuevos productos —derivados, futuros— extremadamente complejos y volátiles, que pocos expertos conocen bien y que dan a estos una ventaja considerable en las transacciones —no sin riesgos, como ha mostrado el desastre financiero del banco británico Barings—. Hay apenas unos diez en el mundo que sepan actuar útilmente —es decir, en pro de su mayor beneficio— sobre el curso de valores o de monedas. Son considerados *los amos de los mercados*, una palabra de uno de ellos y todo puede tambalearse, el dólar baja, la Bolsa de Tokio se derrumba.

Frente a la potencia de estos mastodontes de las finanzas, los Estados ya no pueden hacer gran cosa. La crisis financiera de México, desencadenada a finales de diciembre de 1994, lo ha mostrado de modo especial. ¿Qué peso tienen las reservas acumuladas en divisas de Estados Unidos, Japón, Alemania, Francia, Italia, Reino Unido y Canadá —los siete países más ricos del mundo— frente al poder disuasorio financiero de los fondos de inversión privados, en su mayoría anglosajones o japoneses? No demasiado. A título de ejemplo, pensemos que, en el más importante esfuerzo financiero que jamás se haya consentido en la historia económica moderna en favor de un país —en este caso, México— los grandes Estados del planeta, entre ellos Estados Unidos, el Banco Mundial y el Fondo Monetario Internacional lograron, todos juntos, reunir aproximadamente 50.000 millones de dólares, una suma considerable. Pues bien, los tres fondos de pensiones americanos, ellos solos —los *Big Three* de hoy día— *Fidelity Investments, Vanguard Group* y *Capital Research and Management* controlan 500.000 millones de dólares.

Los gerentes de estos fondos concentran en sus manos un poder financiero de una envergadura inédita, que no posee ningún ministro de economía ni gobierno de banco central alguno. En un mercado que se ha convertido en instantáneo y planetario, todo cambio brutal de esos auténticos mamuts de las finanzas puede originar la desestabilización económica de cualquier país.

Armas de control social

Dirigentes políticos de las principales potencias planetarias, reunidos con los 850 más importantes responsables económicos del mundo dentro del marco del Foro Internacional de Davos (Suiza) en enero de 1995, dijeron hasta qué punto desaprobaban la nueva consigna de moda (*¡Todos los poderes al mercado!*) y cuánto temían a la potencia sobrehumana de esos gerentes de fondos, cuya fabulosa riqueza se ha liberado totalmente de los gobiernos y que actúan a su gusto en el espacio cibernético de la geografía financiera.

Este constituye una especie de Nueva Frontera, un Nuevo Territorio del cual depende la suerte de gran parte del mundo, sin contrato social, sin sanciones, sin leyes, a excepción de aquellas que los protagonistas fijan arbitrariamente, para su mayor provecho.

> Los mercados votan cada día —considera el Sr. George Soros, financiero multimillonario— obligan a los gobiernos a adoptar medidas ciertamente impopulares, pero imprescindibles. Son los mercados quienes tienen sentido del Estado.

A lo cual responde el Sr. Raymond Barre, antiguo primer ministro francés y gran defensor del liberalismo económico: «Decididamente, ya no se puede dejar el mundo en manos de una banda de irresponsables de 30 años que no piensan sino en hacer dinero». Él juzga que el sistema financiero internacional no posee los medios institucionales apropiados para hacer frente a los desafíos de la globalización y la apertura general de los mercados. Lo mismo comprueba el Sr. Butros Butros Ghali, secretario general de las Naciones Unidas:

La realidad del poder mundial escapa con mucho a los estados. Tanto es así que la globalización implica la emergencia de nuevos poderes que trascienden las estructuras estatales.

Entre estos nuevos poderes, el de los medios de comunicación de masas aparece como uno de los más potentes y temibles. La conquista de audiencias masivas a escala planetaria desencadena batallas homéricas. Grupos industriales están enzarzados en una guerra a muerte por el dominio de los recursos del multimedia y de las autopistas de información que, según el vicepresidente norteamericano, Sr. Albert Gore, «representan para los Estados Unidos de hoy lo que las infraestructuras del transporte por carretera representaron a mediados del siglo XX».

Por vez primera en la historia del mundo, se dirigen mensajes (informaciones y canciones) permanentemente, por medio de cadenas de televisión conectadas por satélite, al conjunto del planeta. Existen actualmente dos cadenas planetarias —*Cable News Network* (CNN) y *Music Television* (MTV)—, pero mañana serán decenas, que influirán y trastornarán costumbres y culturas, ideas y debates. Y perturbarán como parásitos, modificarán o harán cortocircuito a la palabra de los gobernantes, así como a su conducta.

Grupos más poderosos que los Estados hacen una *razzia* en el bien más preciado de las democracias: la información. ¿Impondrán su ley al mundo entero y abrirán una nueva era en que la libertad del ciudadano no será más que pura ilusión? ¿Estamos manipulados, condicionados, vigilados?

En un Estado de derecho, ¿es pertinente hacer estas preguntas? Por desgracia, sí. Con una inquietud creciente, los ciudadanos comprueban en su vida cotidiana una influencia dominante, cada vez más fuerte, de estos nuevos poderes y sus recientes armas de control social.

A este respecto, el personaje principal de la novela de John Grisham, *La Firma,* Mitch Mc Deere, encarna de manera ejemplar al hombre moderno versión fin de siglo, atrapado en el engranaje contradictorio de sus ambiciones y sus pesadillas. Primero formado, educado en las más exigentes escuelas, condicionado para ser el mejor, Mc Deere es contratado por una firma prestigiosa. Esta, desde entonces, por medio de las técnicas de comunicación más sofisticadas, no cesa de espiarlo, vigilarlo y controlarlo: seguimientos, micrófonos ocultos, escuchas telefónicas, teleobjetivos, cámaras de vídeo disimuladas hasta en su propia habitación. En los dos tiempos de este recorrido —primero, el amaestramiento y luego, la actitud policial— ¿qué es de la libertad del individuo? ¿Qué nuevo tipo de sociedad se está esbozando así con la complicidad de las nuevas tecnologías de la comunicación y la información? ¿Dónde están a partir de entonces, los nuevos poderes? ¿Qué nuevas amenazas planean sobre la democracia?

La crisis de las grandes máquinas coaccionadoras —familia, escuela, Iglesia, ejército— y el fracaso de los Estados totalitarios que practican a gran escala el adoctrinamiento de masas, ha podido hacer creer que el ciudadano recobraba una autonomía sin cortapisas. Es una ilusión. Bajo un aparente sosiego, todo indica, por el contrario, el refuerzo del control social, este *conjunto de recursos materiales y simbólicos de que dispone una sociedad para asegurarse de la conformidad del comportamiento de sus miembros a un conjunto de reglas y principios prescritos y sancionados.* En efecto, se están instalando nuevos métodos de coacción más sutiles, más insidiosos y eficaces, mientras surgen técnicas último grito, a base de electrónica e información, para seguir por sus propias huellas el recorrido de los ciudadanos, tomar nota de lo que se aparta de las normas y castigar las desviaciones. Nadie está a salvo.

En el transcurso de los años treinta y cuarenta, los estados totalitarios —fascistas y estalinistas— fueron acusados de adoctrinar a los niños, sugestionarlos y volverlos, si fuera el caso, contra sus propios padres. Los refinamientos de la propaganda y su eficacia llevaban a preguntarse con horror: *¿Podemos convertirnos, por el efecto imperceptible de la persuasión, en lo contrario de lo que somos? ¿Hay un Mr. Hyde dormitando fatalmente en nosotros que una hábil propaganda parece que tuviera el poder de despertar?* Preguntas psicológicamente impresionantes y políticamente inquietantes, a las que desde los años treinta han tratado de responder George Orwell, Thomas Mann, Theodor Adorno, Walter Benjamin... Ellos veían en el desarrollo de los grandes medios eléctricos de comunicación de masas —micrófono, altavoz, disco, radio, cine— técnicas temibles para dominar e imponer un *pensamiento administrado.*

Desde la cuna y durante el estado de sueño —consideraba Aldoux Huxley en *Un mundo feliz* (1932)— es como los niños de pecho pueden ser condicionados (mejor que con el método pavloviano del castigo y la recompensa), por medio de un discurso sonoro que les repetirá indefinidamente cuál es su rango y su estatuto en el seno de la comunidad. A pesar de su idéntico capital genético, estos niños, después de interiorizar su condición social, se comportaban de manera diferenciada y aceptaban dócilmente sus funciones respectivas en el seno de la sociedad. Lo adquirido puede a lo innato, decía el escritor británico, que ponía en guardia contra las tentativas de domesticación humana.

La advertencia de Huxley no ha sido escuchada y las intervenciones que se efectúan hoy para condicionar al pequeño humano van incluso más allá del nacimiento. Los progresos actuales de la biogenética permiten, en efecto, estar informado, desde la concepción, del estado general del feto, de su sexo y de sus posibles deformaciones o enfermedades. La existencia de estas, reveladas por la ecografía, pueden conducir a interrumpir la gestación; la manipulación de ciertos genes ya permite evitar graves enfermedades invalidantes. ¿Hasta dónde se puede llegar por este camino? Los criterios mercantiles de la ideología de las ganancias, ¿son pertinentes en este ámbito? Todos sentimos que no, que eso sería la vía abierta al eugenismo, a elegir el bebé por catálogo en función de las modas y los argumentos del mercado. ¿No hemos visto acaso recientemente que una mujer negra, en Estados Unidos, se hizo implantar un óvulo fecundado para poder traer al mundo un niño blanco? Los delirios más extravagantes en materia de genética se vuelven en adelante técnicamente posibles.

Ingeniería de la persuasión

Pero el hombre programado lo está también después de su naci-miento. Al lado de su familia, cuyo ascendiente ha disminuido, hay otras estructuras de normalización que desde muy pronto se hacen cargo de él.

En primer lugar, la televisión, convertida en la principal *canguro* y la distracción primordial de los niños. ¿Qué se lle-van del cíclope catódico? En primer lugar, la violencia. Algu-nos trágicos sucesos han vuelto a lanzar el debate acerca de la responsabilidad de la televisión y los medios de comunica-ción en el paso al acto criminal de niños a veces de muy corta edad.

Así, en Liverpool, en febrero de 1993, dos chicos de diez y once años, secuestraron, torturaron y mataron a un chiquillo de dos años según un ritual parecido al puesto en escena en una película de horror *(Child's Play 3)*, que acostumbraban a ver en el vídeo. En Vitry-Sur Seine (Francia), en octubre de 1993, tres escolares de nueve y diez años participaron en el linchamiento mortal de un vagabundo. En Newcastle (Inglaterra), en 1993, dos niños de nueve y diez años fueron inculpados por torturas a un niño de seis años. En la misma época, en Sarrebrük (Ale-mania), tres alumnos de la escuela primaria intentaron colgar a uno de sus compañeros de clase. A principios de 1994, en Marse-lla, varios adolescentes inculpados por *violación, torturas y actos de barbarie* a una niña de doce años, declararon a quienes los interrogaban no saber que hacían *algo malo*... Finalmente, en Noruega, en octubre de 1994, una niña de cinco años murió después de que la golpearan tres niños de cinco y seis años, una vez más, según un ritual que imitaba a una serie de televisión para niños *(Power Rangers)*. Este último asunto principalmente provocó, en toda Europa, una viva emoción y reactivó el debate sobre el impacto de ciertas emisiones sobre los niños más pequeños.

A consecuencia de estos dramáticos casos, muchos países han tomado decisiones para limitar las escenas de violencia en la televisión. Dos cadenas suecas, por ejemplo, decidieron no seguir difundiendo las series *Power Ranger* y *The Edge,* sospechosas de haber ejercido una nefasta influencia en los niños homicidas noruegos.

Bajo la presión de la opinión pública, la televisión canadiense, por su parte, se ha provisto de un código ético con objeto de suprimir de la pequeña pantalla las escenas de violencia *gratuitas,* a partir del 1 de enero de 1995.

En el Reino Unido, el gobierno ha decidido restringir el acceso de los menores a los videos violentos. En Estados Unidos, las principales cadenas —ABC, CBS, NBC, y FOX— han resuelto suprimir gran parte de las emisiones violentas de su programación. Esto, sobre todo, para evitar que el gobierno reglamente aún con más severidad la representación de la violencia en la pequeña pantalla, ya que cuatro de cada cinco americanos están convencidos de que la violencia en la televisión contribuye a aumentar la violencia en la vida real y después de que la Asociación americana de psicología hiciera público un informe que revelaba que durante los cinco años que dura la escuela primaria, un niño ve en la televisión unos 8.000 asesinatos y más de 100.000 actos violentos.

En Francia, por último, el informe de la diputada Christine Boutin elaborado en octubre de 1994, en el marco de la Comisión de asuntos culturales, familiares y sociales de la Asamblea nacional titulado *Niño y televisión*, hace veinte propuestas para proteger a los jóvenes telespectadores de la influencia excesiva de los programas televisados.

Las encuestas muestran que un niño francés que tenga entre ocho y catorce años, ve la televisión tres horas diarias de promedio. Y que el número de actos violentos que se difunden es, en general, percibido como irrazonable y difícil de soportar. El semanario parisino *Le Point,* en una encuesta efectuada en octubre de 1988, había hecho un recuento de todas las escenas de violencia a las que los telespectadores habían podido asistir durante una semana: 670 homicidios, 15 violaciones, 848 peleas, 419 fusilamientos, 14 secuestros, 32 tomas de rehenes, 27 escenas de tortura, 13 tentativas de estrangulamiento,11 atracos a mano armada, 11 escenas de guerra, 9 defenestraciones... Esto, por cierto, en todas las emisiones y no sólo en las emisiones para niños, pero hay que saber que los programas para la juventud no representan nada más que el 30% del tiempo de audiencia de los niños de ocho a doce años; de modo que estos ven durante el 70% de su tiempo de audiencia programas para adultos.

Y, a este respecto, hay que subrayar que entre los programas más violentos de la televisión están los informativos. Crímenes, atrocidades de las guerras en Bosnia o en Ruanda, sufrimiento de los niños (se estima que alrededor de la mitad de las víctimas civiles de las guerras son niños), catástrofes naturales y epidemias; los informativos televisados recitan el rosario de las tragedias ordinarias con un realismo y una crudeza impresionantes.

Esto afecta terriblemente a los niños que están mirando. Primero, por el impacto mismo de las imágenes, su crudeza intrínseca, pero además porque los niños saben instintivamente que lo que están viendo es verdad, es real, y que no tiene que ver con la ficción y también porque escuchan las reacciones de los padres (el telediario es una de las emisiones que la familia ve reunida); estos comentarios conmocionan a veces a los niños porque subrayan el dramatismo de lo que ven. El efecto de ansiedad es muy fuerte; los niños sienten que los mismos padres están impresionados, horrorizados a veces, por lo que están viendo.

Este efecto de ansiedad se traduce en una violencia psicológica que puede marcar el ánimo del niño, impresionarlo y perturbarlo. Esto puede hacerlo habituarse a la violencia, a banalizarla y hacerlo insensible, más tarde, al sufrimiento de los demás. Para poner en guardia contra esta perversa influencia, la cadena americana CBS difundió en enero de 1995, bajo el título de «En el campo de masacres de América», un documental de tres horas (!) elaborado a partir de las secuencias televisadas durante los informativos, en el que se acumulan los cadáveres desfigurados, las imágenes alucinantes de las víctimas de la violencia ordinaria de los sucesos americanos.

Pero la violencia no es el único problema que plantea en los niños el hábito de ver la televisión. Antes de alcanzar la edad de doce años, un niño habrá visto, en Francia, unos 100.000 anuncios que, subrepticiamente, van a contribuir a hacerle interiorizar las normas ideológicas dominantes. Y enseñarle criterios consensuales de lo bello, el bien, lo justo y lo verdadero; es decir, los cuatro valores morales sobre los cuales para siempre se edificará su visión moral y estética del mundo.

Muy pronto, la televisión impondrá los criterios emocionales como superiores a los argumentos racionales.

El abismo entre la racionalidad y la publicidad se ha ahondado tanto ahora [escribe el ensayista americano Neil Postman] que es difícil recordar que alguna vez haya existido relación entre ellas. Hoy, en la televisión publicitaria, las proposiciones de lógica son tan raras como la gente fea. La cuestión de saber si el publicista dice la verdad o no, ni siquiera se plantea. Un anuncio de Mc Donalds, por ejemplo, no es una serie de aserciones verificables y presentadas con lógica. Es una puesta en escena —una mitología si se quiere— de gente muy guapa, vendiendo, comprando y comiendo hamburguesas y ostentando una felicidad de éxtasis. No se hace ninguna afirmación si no son las que los telespectadores proyectan sobre la escena o deducen de ella. Un anuncio puede gustar o no gustar. No se puede refutar.

Los dibujos animados, de los que los niños siguen siendo grandes consumidores, no se refutan tampoco. Si es cierto que algunos son de una notable calidad poética y una riqueza para el imaginario, muchos otros presentan un modo simplista, maniqueo, atestado de prejuicios y extremadamente violento (41 actos de violencia por hora, de promedio, en los dibujos animados americanos). Ahora bien, como se ha visto, la cuestión de la violencia en la televisión y su influencia en los niños se plantea con más fuerza que nunca. Según el doctor Samuel Lepastier, del Centro de psiquiatría del niño y el adolescente del hospital de Santa Ana, en París:

El hecho de ver espectáculos violentos puede tener un efecto calmante hasta cierto umbral. Más allá de él, el excedente de excitación vinculado a las imágenes ya no se elabora en el plano psicológico. Es ahí donde aparece una *descarga* de esta excitación por vías varias. Los niños pueden estar ansiosos o tener pesadillas. En un grado mayor, la evacuación se hace por medio de juegos, imitaciones, por pasar al acto...

Por imitar al héroe de una película para adolescentes, *The Program,* que se acostaba sobre el asfalto de una autopista y permanecía inmóvil en medio de la circulación, varios jóvenes americanos fueron atropellados en las carreteras de Estados Unidos en otoño de 1993. Esto obligó a la empresa productora, Walt Disney Company, a cortar la escena en todas las copias en circulación y llevó al Congreso a exigir medidas contra la violencia en la televisión. Lo cual hizo también el gobierno británico el 12 de abril de 1994.

Este debate se trasladó hacia la influencia de los videojuegos, que han llegado a ser la principal distracción de los adolescentes (una encuesta ha revelado, en septiembre de 1994, que las tres cuartas partes de los niños franceses de la primaria juegan con regularidad a los videojuegos). Estas diversiones electrónicas proponen de ordinario mini relatos de aventuras; los guiones suelen estar inspirados en guerras reales: Vietnam, Afganistán, Nicaragua, Golfo, Bosnia...: un héroe sigue un recorrido iniciático durante el cual no cesa de eliminar adversarios cada vez más temibles. Matar, destruir, fusilar, son actos constantes que reclaman estos juegos y a los que el adolescente procede, pulsando simplemente un botón. Este pequeño gesto que mata, a la larga, se banaliza e irrealiza la idea misma de la muerte, pilar, no obstante, de la filosofía y de la religión en todas las civilizaciones.

A la edad de 18 años, un joven americano ha eliminado así, sin pesares, a unos 40.000 adversarios. El profesor George Grebner, de la Universidad de Pensilvania, uno de los más grandes especialistas de la violencia en la pequeña pantalla, toca el timbre de alarma:

La exposición reiterada a la violencia vuelve al público ansioso y desconfiado, le hace exagerar los riesgos de agresión en su medio. Cuantas más emisiones violentas vean los niños, más aceptable les parece la violencia y más les produce placer. Les cuesta discernir lo verdadero de lo falso.

Este condicionamiento a la violencia alcanza un refinamiento superior con el desarrollo espectacular de la realidad virtual. Cascos de visión en tres dimensiones con cristales líquidos y guantes estriados con fibras ópticas conectados a un ordenador pueden producir una perfecta impresión de contacto con una realidad concreta... sin embargo, inexistente. El jugador no está viendo una película, está él en la película; circula por ella e interactúa en el *ciberespacio*. Combates, exploraciones, aventuras de todas clases y guerras con láser, puestas a punto por especialistas de la simulación militar parecen, desde ahora, —virtualmente— al alcance de cada cual. Parques de juegos de este tipo, como Cinetrópolis en Conneticut, cerca de Nueva York, o *Virtual World Entertainment* en California, (el de Nagoya, en Japón, se abre en noviembre de 1995), así como experiencias de *sexualidad virtual*...

En 1994, los americanos gastaron 18,8 millones de dólares en estos juegos y se prevé que gastarán 33,8 millones en 1995.

Pero los psicólogos ya están advirtiendo contra los peligros de la realidad virtual:

El centro de la personalidad se resitúa en un cuerpo virtual dotado de capacidades suprahumanas. Al regreso de ese viaje, el jugador podría sufrir una especie de desprecio por sí mismo, experimentar una sensación de insignificancia, de soledad acrecentada dentro del mundo real. En última instancia, una exposición demasiado frecuente a la realidad virtual induciría a una verdadera descomposición psicológica, haciendo una sangría en las fuerzas vivas de la personalidad en beneficio de uno o varios mundos virtuales.

Sin ser pesimista, uno no puede sino interrogarse sobre la influencia de las escenas de violencia difundidas por la televisión y los vídeojuegos cuando se ve cómo en Estados Unidos, por ejemplo, donde la televisión es una de las más violentas del mundo, el número de detenciones de menores ha aumentado en un 60% entre 1981 y 1990. En Francia, el número de delitos cometidos por menores ha pasado de 36.000 en 1980 a 48.000 en 1987 y no cesa de aumentar. Esta delincuencia de adolescentes es, además, cada vez más violenta y mortífera, con frecuencia directamente inspirada por escenas de la televisión.

La persuasión invisible

Hay otras tres técnicas de persuasión que tienen por objeto permanente la domesticación de las mentes: la publicidad, los sondeos y el marketing. De tal modo forman parte de nuestro entorno familiar (lo propio de la ideología dominante es ser, literalmente, invisible), que raras son las personas que caen en la cuenta de ellas, les chocan y se rebelan.

Con los medios más refinados y con ayuda de investigadores de todas las disciplinas (psicólogos, psiquiatras, sociólogos, semióticos, lingüistas, estadísticos, etc.), la publicidad intenta desentrañar nuestros más profundos deseos. Tratan de descubrir, afirma el ensayista americano Vance Packard, autor de *La persuasión clandestina,*

> ...nuestras debilidades ocultas y puntos vulnerables con la esperanza de que así estarán en mejor posición para influir en nuestros actos. Los psicólogos de una gran agencia americana de publicidad dirigen experiencias sobre muestras humanas para intentar poner a punto un medio de identificar a las personas ansiosas, hostiles, pasivas, a las que son socialmente conscientes, etc., así como los métodos para alcanzarlos en sus puntos sensibles. Una agencia de Chicago ha estudiado el ciclo menstrual del ama de casa y sus consecuencias psicológicas con la esperanza de determinar qué la persuadirá de modo más eficaz para comprar ciertos productos alimenticios.

Cuando han obtenido esta información y con el discurso publicitario elaborado, el ciudadano se convierte en el blanco de la diana. Hay un promedio de 300.000 mensajes que lo bombardean cada año. ¿Cómo escapar de ello? En Francia hay instalados 400.000 paneles para fijar anuncios, 50.000 autobuses pasean otros en su costado y su parte trasera por todas las ciudades; 6.000 espacios publicitarios se difunden por las distintas cadenas de televisión y las salas de cine, así como decenas de millares de espacios radiofónicos, sin hablar de unas 3.200 revistas (y decenas de periódicos) que ponen publicidad en sus páginas. ¿Cómo salir indemne de este bombardeo?

Tanto más cuanto ciertos métodos, como el llamado de las *imágenes subliminales* (normalmente ilegal), se dirigen a nuestro inconsciente y desbaratan nuestra defensa crítica. Esto puede tener consecuencias graves para la economía doméstica con el desarrollo de la telecompra que suscita pulsiones de adquisición instantáneas. Sobre todo si el mando a distancia y la tarjeta de crédito están conectadas, como proponen ciertos *gadgets*...

La publicidad y las técnicas de venta, incluso las más controvertidas, sirven, por otra parte, de modelo al discurso político, sobre todo en período electoral. Su influencia en el ciudadano, en especial la del marketing político, es considerable a la hora de elegir a los dirigentes en una democracia.

Las técnicas de venta, fundadas en estudios muy hábiles de mercado, pretenden ser casi una ciencia. Su objetivo: manipularnos, hacernos consumir cada vez más. A este respecto, las estrategias preparadas en los hipermercados para hacer caer al consumidor son asombrosas. Incluso se ha construido un *hipermercado-laboratorio* en Saint Quentin-en-Yvelines, con el fin de estudiar con microscopio las conductas de compra. En estos almacenes experimentales, el comprador conejo de indias es espiado por un equipo de sociólogos y psicólogos que siguen todos sus gestos a través de espejos sin azogue; su recorrido, sus paradas, sus dudas, son minuciosamente analizadas. Hasta el camino que sigue su mirada por los estantes de los productos es grabado por el Eye Movement Recorder, «un sistema que, mediante el estudio de la refracción de infrarrojos en la retina, permite determinar qué artículos de un estante han sido observados en primer lugar y durante cuánto tiempo...».

Estas observaciones y encuestas muy detalladas sobre las motivaciones de compra van a permitir, gracias al concurso de arquitectos, decoradores e iluminadores, modelar el espacio interior de los hipermercados para estimular el consumo. Longitud de pasillos, tamaño de los estantes, ubicación de productos, iluminación, colores, todo está calculado para que el cliente se mueva más lentamente, se detenga ante un máximo de productos y que, *además de lo imprescindible, compre lo superfluo*. Nada se deja al azar. Un ejemplo: el electrodoméstico, siempre situado a la entrada de los almacenes, por dos motivos: el carrito debe estar vacío para poder recibir un embalaje grande, y su precio servirá de referencia, ya que todo lo demás parecerá menos caro.

Incluso la música ambiental está muy estudiada para que la inmensidad de las naves comerciales no asuste y se vuelva más íntima. En Francia, el 60% de los hipermercados difunden la misma música especialmente elaborada para ellos por una empresa que, vía satélite, cubre el conjunto del territorio. En ciertos países, esta música contiene sonidos subliminales, que repiten a los clientes extasiados *¡Complaceos! ¡Relajaos! ¡No robéis!*

Coadyuvantes con el discurso publicitario, los sondeos proporcionan información y argumentos suplementarios sobre las necesidades de todo orden de los ciudadanos.

Lo que buscan los que hacen sondeos [explica Vance Packard] es, evidentemente, el porqué de nuestros actos, con el fin, si puede hacerse, de inclinar con más seguridad nuestra elección a su favor.

Los sondeadores indagan, a veces con falsos pretextos, en la conducta, las costumbres, las actitudes y diseñan poco a poco el perfil del consumidor-elector medio. Definen así la *opinión pública* que, las más de las veces, no es sino el reflejo apenas deformado de la información de masas y la publicidad. El conjunto constituye un anillo que circunscribe la norma social, el consenso y la conformidad. O, como afirma el ensayista neoliberal Alain Minc: el *círculo de la razón*. Fuera de ello están el margen, la desviación, la anormalidad.

Los sondeos establecen de este modo una nueva forma de condicionamiento que nos influye sin hacerse notar. Al recordarnos constantemente el deseo de la mayoría, nos sugieren que vayamos en la misma dirección. Ya que, en efecto, los indecisos tienden a alinearse con la opinión de la mayoría. Paul Watzlavick, especialista de la comunicación de la Escuela de Palo Alto, ha mostrado magistralmente cómo un individuo aislado acababa por dudar de sus propios sentimientos y cómo llegaba, para no distinguirse, a aceptar la opinión del mayor número de personas:

La voluntad de renunciar a la propia independencia, de trocar el testimonio de los propios sentidos contra la sensación confortable, pero deformante de la realidad, de estar en armonía con un grupo [afirma Watzlawick] es, claro está, el alimento con el que se nutren los demagogos.

Estos merodean de nuevo a favor del actual desasosiego, en el que ya están al pie del cañón, como en Italia, donde las elecciones de marzo de 1994 han contemplado el despliegue de todas las tecnologías modernas del condicionamiento y también la elección del Sr. Silvio Berlusconi.

Coacción y vigilancia

El condicionamiento va a la par con la vigilancia. Y los medios de ejercerla se han multiplicado por diez con los avances de la informática y la fantástica capacidad de control que permiten las nuevas herramientas. Gestos anodinos de la vida cotidiana dejan marcas indelebles en las redes electrónicas, permitiendo reconstruir un itinerario o un modo de vida. Así, la retirada de dinero en un cajero automático, el pago con una tarjeta de crédito, pasar por una autopista de peaje, una simple llamada telefónica, una consulta por teletexto, etc., son otras tantas piedrecitas blancas que señalan el recorrido, cuyo trazado podrá reconstruirse, calcular la velocidad y la duración, verificar las coartadas.

Abonarse a una revista, pagar los impuestos, pagar al médico, dejan, a partir de ahora, huellas en los ficheros informáticos. Si no fuera por la Comisión Nacional Informática y Libertades (CNIL) y la ley del 6 de enero de 1978, que en Francia protegen las libertades de los ciudadanos, toda la información referente a nuestra vida —escolaridad, salud, compras, viajes, ahorro, relaciones, etc.— podría ser confirmada y consultada por los más diversos organismos: bancos, compañías de seguros, empleadores, comerciantes, policía...

En Estados Unidos, los servicios americanos de impuestos han tratado de controlar las declaraciones fiscales analizando los ficheros de las sociedades de venta por correspondencia. Hay sociedades especializadas que escudriñan todos los gastos de ciertas categorías de personas, definen su perfil de consumidor y meten estos datos en fichas. Hay bancos que no dudan en establecer, para su propio uso, ficheros a partir de información proporcionada por los gastos de sus clientes. Algunos van aún más lejos. En el Reino Unido, *el banco Natwest, que administra 6,5 millones de cuentas, ponía en fichas las opiniones políticas y religiosas de sus clientes e incluso sus hábitos alimentarios.*

En la empresa, donde los métodos de contratación verifican la conformidad física e ideológica de los candidatos a las normas sociales dominantes, la jerarquía puede, en lo sucesivo, controlar mejor la actividad de los asalariados. La videovigilancia —que Charles Chaplin y Fritz Lang habían previsto ya en 1930 con *Tiempos modernos* y *Metrópolis* respectivamente— se ha generalizado. Duración real del trabajo, presencia, productividad y eficacia de los asalariados, todo ello puede verificarse, así como las llamadas telefónicas personales consignadas en la memoria informática de la central.

En 1984, durante la ocupación de la fábrica SKF de Ivry-sur-Seine, los obreros descubrieron que estaban sistemáticamente fichados por el servicio de personal en función de sus opiniones políticas y sindicales. Tales ficheros, que están prohibidos, son moneda corriente, pues informarse sobre el estado de ánimo de los empleados forma parte del trabajo de un responsable de recursos humanos. Ciertas firmas recurren a veces a detectives privados o a empresas de vigilancia para inquirir acerca de su personal. Tal ejecutivo, sospechoso de proporcionar información a la competencia, será espiado. A tal sindicalista *molesto* se le pondrán escuchas telefónicas.

Y el futuro se presenta suspicaz. La firma Olivetti ha preparado una *pulga* electrónica capaz de activar a distancia un microordenador. El empleado llega a su oficina, llevando a modo de insignia una tarjeta de seis por seis centímetros, cuarenta gramos de peso y ocho milímetros de espesor. En seguida su ordenador lo reconoce y se enciende; cuando se va de su despacho, se apaga. Nadie más que él puede tener acceso al sistema. El ordenador envía cada diez segundos un impulso para verificar la presencia del portador de la insignia en un radio de quince metros. Olivetti proyecta equipar los inmuebles con una multitud de captadores que seguirán al empleado allí donde vaya. Superado el Gran Hermano de George Orwell; la vigilancia de los asalariados podrá, por fin, ser permanente.

Lo cual debe de hacer soñar a todas las policías del mundo. Entretanto, estas apuestan a fondo por la vigilancia por video. En París, el 12 de abril de 1994, durante el proceso de unos *hooligans* acusados de heridas y faltas contra unos CRS, se mostraron las imágenes, filmadas por las cámaras de televisión y por un aficionado, que permitieron identificar a los jóvenes y encarcelarlos. Estas prácticas se están generalizando; las fuerzas del orden disponen desde ahora, en varios países, de sus propios equipos de rodaje que filman en directo las manifestaciones y enfrentamientos violentos con los policías. Para no depender de las cadenas de televisión o las agencias de prensa, el Ministerio del Interior español *proyecta instalar en los barrios de mayor inse-*

guridad unas 250 cámaras que filmarán todo aquello que se mue-
va. En un centro de control, 33 agentes vigilarán las imágenes para
prevenir posibles delitos y reaccionar rápidamente.

Y cuando el condicionamiento masivo, la vigilancia y el control se revelen ineficaces, queda, como se ha podido ver en la película de Milos Forman *Alguien voló sobre el nido del cuco,* una última herramienta de la ingeniería del consentimiento: los tranquilizantes y ansiolíticos. Francia detenta, en este período de crisis, el récord mundial de consumo de psicotrópicos (80,9 millones de cajas vendidas en 1993). Y el Prozac, el *antidepresivo milagro* llegado de Estados Unidos, también se ha extendido muy deprisa. El rumor, propalado por algunos médicos, dice que *con Prozac usted vuelve a ser la persona que era realmente.* ¿Qué persona? ¿Jekyl o Hyde?

En Estados Unidos [observa el profesor Edouard Zafirian] donde la violencia y la delincuencia son tratadas como enfermedades del individuo, prescribir Prozac evita plantearse preguntas molestas sobre las causas sociales de esos trastornos. He acabado por preguntarme si esos medicamentos, consumidos en exceso, no desempeñan la función de reguladores sociales que permiten evitar las rebeliones.

La crisis del cuarto poder

Agotados por el trabajo, horrorizados por el paro, angustiados por el porvenir, hechizados por la televisión, aturdidos por los tranquilizantes, los ciudadanos sufren un adoctrinamiento constante, invisible y clandestino. ¿Pueden contar con la prensa, con ese recurso del ciudadano que a veces es llamado *cuarto poder* y que tradicionalmente, en las democracias, tiene por función principal desvelar la verdad y proteger a los ciudadanos contra los abusos de los otros tres poderes (legislativo, ejecutivo y judicial)? De hecho, para decirlo llanamente, no.

Porque la prensa escrita está en crisis. Está conociendo, en varios grandes países democráticos, una baja notable de difusión y sufre gravemente de una pérdida de identidad. ¿Cómo y por qué razones hemos llegado hasta aquí? Independientemente de la influencia, cierta, de la crisis económica, hay que buscar, nos parece, las causas profundas de esta crisis en la transformación que a lo largo de estos últimos años han conocido algunos de los conceptos básicos del periodismo.

En primer lugar, la idea misma de información. Hasta hace poco, informar era, en cierto modo, proporcionar no sólo la descripción precisa —y verificada— de un hecho, de un acontecimiento, sino igualmente un conjunto de parámetros que permiten al lector comprender su significación profunda. Era dar respuesta a preguntas elementales: ¿Quién ha hecho qué? ¿Con qué medios? ¿Dónde? ¿Cómo? ¿Por qué? ¿En qué contexto? ¿Cuáles son las causas? ¿Cuáles las consecuencias?

Esto ha cambiado bajo la influencia de la televisión que ocupa un lugar dominante dentro de la jerarquía de los medios de comunicación, y extiende su modelo. El diario televisado, principalmente gracias a su ideología de lo directo y del tiempo real, ha ido imponiendo poco a poco un concepto radicalmente distinto de la información. Informar es, desde entonces, *mostrar la historia en marcha* o, más concretamente, *hacernos asistir en directo al acontecimiento.*

Se trata, en materia de información, de una revolución copernicana, cuyas consecuencias no se han terminado de medir. Pues supone que la imagen del acontecimiento (o su descripción) basta para darle toda su significación. En última instancia, el periodista mismo está de más en este cara a cara del telespectador y la historia. El objetivo prioritario para el ciudadano, su satisfacción, ya no es comprender el alcance de un acontecimiento, sino simplemente verlo, mirar cómo se produce bajo sus ojos. Esta coincidencia es considerada como feliz. De este modo se establece, poco a poco, la engañosa ilusión de que ver es comprender.

Ahora bien, nuestra racionalidad moderna se ha edificado muy exactamente contra el postulado *ver es comprender*. Los racionalistas del Renacimiento y el Siglo de las Luces tuvieron que combatir las fuerzas oscurantistas que se apoyaban en la idea de que *ver es comprender*. Galileo mostró que aunque yo *vea* al sol girar alrededor de la Tierra, en realidad es la Tierra la que gira alrededor del Sol. Y Diderot, con los enciclopedistas, advertiría que *hay que desconfiar de los propios ojos y de los propios sentidos*. Yo *veo* el horizonte plano, pero la Tierra es redonda. Ya que, como bien dice la sabiduría popular, *el hábito no hace al monje* y *las apariencias engañan*. La razón y el razonamiento son los que me hacen comprender, y no los ojos. Cuando la información moderna se funda en la idea de que ver es comprender, contribuye a una formidable regresión intelectual que nos hace volver varios siglos atrás, a la era prerracional.

¿Y cómo pretender que todo acontecimiento, por muy abstracto que sea, debe necesariamente presentar una parte visible, mostrable, televisable? Esto trae consigo una emblematización reductora, cada vez más frecuente, de acontecimientos con carácter complejo. Por ejemplo, todo el alcance de los acuerdos Israel-OLP parece que se ha reducido al simple apretón de manos Rabin-Arafat... Por otra parte, tal concepto de la información conduce a una afligida fascinación por las imágenes *en directo*, de acontecimientos realistas, sucesos violentos y sangrantes.

Hay otro concepto que ha cambiado: el de actualidad. ¿Qué es a partir de ahora la actualidad? ¿A que acontecimiento hay que darle un lugar privilegiado dentro de la abundancia de hechos de todo el mundo? ¿En función de qué criterio escoger? Ahí, una vez más, la influencia de la televisión parece determinante. Es ella, con el impacto de sus imágenes, quien impone su elección y obliga prácticamente a la prensa escrita a seguirla. La televisión construye la actualidad, provoca el choque emocional y condena prácticamente a los hechos huérfanos de imágenes al silencio y la indiferencia. Poco a poco se establece en las mentes la idea de que la importancia de los acontecimientos es proporcional a su riqueza en imágenes. O, por decirlo de otro modo, que un acontecimiento que se puede mostrar (si es posible en directo y en tiempo real), es más fuerte, más eminente que el que permanece invisible y cuya importancia es abstracta. En el nuevo orden de los medios de comunicación, las palabras o los textos no valen tanto como las imágenes.

El tiempo de la información también ha cambiado. La medida óptima de los medios de comunicación es ahora la instantaneidad (el tiempo real), lo directo, que sólo la televisión y la radio pueden practicar. Eso hace envejecer a la prensa diaria, forzosamente en retraso con relación al acontecimiento y a la vez demasiado cerca de él para lograr sacar, con la suficiente perspectiva, todas las enseñanzas de lo que acaba de producirse.

Hay un cuarto concepto que se ha modificado y es fundamental: el de la veracidad de la información. Ahora, un hecho es verdad no porque corresponda a criterios objetivos, rigurosos y verificados en sus fuentes, sino sencillamente porque otros medios de comunicación repiten las mismas afirmaciones y *confirman*. Si la televisión, partiendo de un despacho o de una imagen de agencia, presenta una noticia y la prensa escrita y luego la radio vuelven a dar esta noticia, eso basta para acreditarla como veraz. Así fue, recordemos, como se construyeron la mentira del montón de cadáveres de Timisoara y todas las de la guerra del Golfo. Los medios de comunicación ya no saben distinguir, estructuralmente, lo verdadero de lo falso.

En esta conmoción mediática, es cada vez más vano querer analizar la prensa escrita aislada de los demás medios de información. Los medios (y los periodistas) se repiten, se imitan, se copian, se responden, se entremezclan hasta el punto de que ya no constituyen sino un solo sistema de información dentro del cual es cada vez más arduo distinguir la especificidad de uno de ellos separándolo de los otros.

Las democracias catódicas

Finalmente, información y comunicación tienden a confundirse. Demasiados periodistas siguen creyendo que son ellos los únicos que producen la información, cuando toda la sociedad se ha puesto frenéticamente a hacer lo mismo. Ya no quedan prácticamente institución (administrativa, militar, económica, cultural, social, etc.) que no disponga de un servicio de comunicación, de relaciones públicas y no emita, sobre sí misma y sus actividades, un discurso pletórico y elogioso. A este respecto, todo el sistema, en las democracias catódicas, se ha vuelto astuto e inteligente, totalmente capaz de manipular arteramente a los medios de comunicación y resistir sabiamente a su curiosidad.

A todos estos desbarajustes se añade un malentendido esencial. Muchos ciudadanos consideran que, confortablemente instalados en el sofá de su salón y viendo en la pequeña pantalla una sensacional cascada de acontecimientos a base de imágenes fuertes, violentas y espectaculares, pueden informarse seriamente. Es un error mayúsculo, por tres razones: primero, porque el informativo televisado, estructurado como una ficción, no está hecho para informar, sino para distraer. A continuación, porque la sucesión rápida de noticias breves y fragmentadas (unas veinte por cada telediario) produce un doble efecto negativo de sobreinformación y desinformación. Y, finalmente, porque querer informarse sin esfuerzo es una ilusión que tiene que ver con el mito publicitario más que con la movilización cívica. Informarse cansa y a este precio el ciudadano adquiere el derecho de participar inteligentemente en la vida democrática.

Muchos titulares de prensa escrita siguen no obstante, por mimetismo televisivo, adoptando características propias del medio catódico: maqueta de la primera página concebida como una pantalla, longitud de los artículos reducida, personalización excesiva de los periodistas, prioridad a lo sensacional, práctica sistemática del olvido, de la amnesia con respecto a las informaciones que hayan perdido actualidad, etc.

La prensa escrita ha simplificado su discurso en el momento en que aparecen nuevos poderes que nadie denuncia y el mundo, conmocionado por el fin de la guerra fría y las revoluciones tecnológicas, se ha complicado de un modo considerable. Una separación tan grande entre este simplismo de la prensa y la nueva complejidad de la política internacional desconcierta a muchos ciudadanos que ya no encuentran en las páginas de su gaceta un análisis diferente, más detallado, más exigente que la que propone el informativo de televisión. Esta simplificación es tanto más paradójica cuanto el nivel educativo global de nuestras sociedades no cesa de elevarse y el número de diplomados va en aumento. Aceptando no ser sino el eco de las imágenes televisadas, muchos periódicos decepcionan, pierden su propia especificidad y, por añadidura, lectores.

En el mejor de los casos, en ciertos países la prensa escrita, para escapar a la dominación que sobre ella ejerce la televisión, ha abierto nuevos territorios a la información. En dos ámbitos: la vida privada de las personalidades públicas y los asuntos de interés público que implican a personalidades del mundo político o económico. El primero es abundantemente explotado, sobre todo en Estados Unidos y el Reino Unido, por los periódicos de pequeño formato. El segundo, más serio, ha visto en estos últimos años en España, Francia e Italia principalmente, la renovación de lo que no hace mucho tiempo se llamaba periodismo de investigación y que hoy se designa como *periodismo de revelación*.

Se trata, en sentido propio, de revelar, es decir, sacar a la luz lo que estaba escondido, de analizar lo que estaba oculto, de explicar lo que no es visible. Esto la televisión, por definición, no puede mostrarlo ya que casi nunca hay imágenes. Se trata de expedientes, de papeles y documentos cuya exhibición por medio de imágenes no añade nada. En este tipo de periodismo son el razonamiento y la demostración los que vuelven a ser figuras importantes. Pensar, y no simplemente ver, vuelve a ser posible, hasta cierto punto, pues muchos periódicos, y los grupos a los que pertenecen, están comprometidos en esta vía por su propia supervivencia económica.

La confrontación con la televisión es entonces prioritaria a riesgo de hacer *revelaciones* todos los días, a toda costa; a riesgo de olvidar la ética profesional o de maltratar a la deontología, traicionando así doblemente a los ciudadanos lectores, tomados como rehenes en esta guerra de medios de comunicación, en la que todos los golpes están permitidos, incluso los más bajos.

Tanto más cuanto que la influencia de la televisión, principalmente en materia de diplomacia, no ha dejado de crecer en estos últimos años. Hemos podido verificarlo con ocasión de las grandes crisis internacionales. Sin las imágenes desgarradoras del mercado bombardeado de Sarajevo ¿habría habido un ultimátum de la ONU? Sin la conmovedora visión de los niños hambrientos de Mogadiscio, ¿habría habido un desembarco militar en Somalia? No es seguro.

En nuestras democracias mediáticas, la conminación humanitaria dicta desde ahora la actitud de los cancilleres y prescribe una aflictiva *diplomacia del audímetro*, con los temibles riesgos que esto supone:

Si la política americana [advierte el profesor George F. Kennan] y el enrolamiento de nuestras fuerzas armadas en el exterior están condicionados por la industria de la televisión comercial e inspirados por la pulsión emocional de la gente, ya no habrá más gobiernos responsables.

En este sentido, un alto funcionario del Departamento de Estado ha revelado recientemente que para no actuar en la ex Yugoslavia bajo la presión de la máquina mediática, la estrategia del presidente Clinton consiste en evitar a toda costa que Bosnia aparezca en la primera página de los grandes medios de comunicación. Cada día de silencio sobre Bosnia en los informativos de televisión es un día ganado.

Si el choque de las informaciones arranca a los dirigentes de su inmovilismo, ¿hay que lamentarlo? Teóricamente, no. Ya que una de las principales funciones del *cuarto poder* es, efectivamente, actuar como un aguijón en nombre de los valores de la democracia. Pero la mayor parte de los medios de comunicación no tendrían el menor derecho a reivindicar esta noble función; arrastrados a una deriva que tanto daña, no suelen ser ya dignos de ejercerla. Instantaneidad, espectacularización, fragmentación, simplificación, mundialización y mercantilización son desde ahora las principales características de una información estructuralmente incapaz de distinguir la verdad de la mentira. Como no ha cesado de demostrar la cobertura de algunos acontecimientos recientes: Tiannanmen, Timisoara, guerra del Golfo, Kurdistán, Somalia e incluso el bombardeo del mercado de Sarajevo, cuyo origen grandes medios de comunicación han atribuido a los propios musulmanes...

El sistema de información se ha pervertido; dominado por la televisión, cogido en la trampa de las apariencias, muestra sin comprender, y excluye, de hecho, del campo real aquello que no muestra. Un ejemplo de este trastorno: la muy seria cadena norteamericana CBS envió en febrero de 1995 más periodistas a cubrir el duelo dudoso de dos patinadoras olímpicas que a Sarajevo para seguir las consecuencias del ultimátum.

Ya poco fiable de por sí, este sistema se encuentra en el umbral de una revolución radical con el advenimiento del multimedia que algunos comparan, por los cambios radicales inducidos, a la invención de la imprenta por Gutemberg. La articulación del televisor, el ordenador y el teléfono, crea una nueva máquina de comunicación, interactiva, fundada en los resultados del tratamiento numérico. Reuniendo los talentos múltiples de los medias dispersos (a los que se añaden la telecopia, la telemática y la monética), el multimedia marca una ruptura y podría trastornar enteramente el campo de la comunicación. Igual que el nuevo orden económico internacional, como espera el presidente William Clinton que ha lanzado el ambicioso proyecto de las autopistas electrónicas para volver a dar a Estados Unidos el rol de guía en las industrias del futuro.

¡Todo el poder al mercado!

Gigantescas concentraciones están en curso entre los gigantes del teléfono, el cable, la informática, el video y el cine. Se suceden compras y fusiones, movilizando decenas de millares de millones de dólares; dentro de cinco años, apenas quedarán una decena de empresas en la palestra... Algunos sueñan con un mercado perfecto de la información y la comunicación, totalmente integrado gracias a las redes electrónicas y de satélites, sin fronteras, funcionando en tiempo real y en permanencia; lo imaginan construido sobre el modelo del mercado de capitales y flujos financieros ininterrumpidos...

Para no estar distanciada —como le pasó al Sur en los años setenta, cuando la batalla (perdida) del Nuevo orden mundial de la información y la comunicación— Europa ha emprendido igualmente grandes maniobras. También aquí la lógica del gigantismo industrial puede más que cualquier otra consideración; se ha podido ver en Francia, en febrero de 1995, cuando ocurrió la toma de control hostil de Canal Plus.

La prensa escrita no está a salvo de este huracán de ambiciones desencadenado por el desafio del multimedia. Muchos de los grandes periódicos pertenecen ya a los megagrupos de comunicación; así, *The Times,* de Londres, está controlado por News Corporation, del Sr. Rupert Murdoch, y *La Repubblica,* de Roma, por Olivetti, del Sr. Carlo Benedetti. Otros, tal como *The Independent,* de Londres, han sido recientemente objeto de ofensivas en regla. En Francia, los raros títulos que permanecen independientes de la prensa nacional, debilitados por la caída brutal de los ingresos por publicidad, ya no están a salvo de la codicia de los poderes financieros.

Este nuevo *mecano* comunicacional y el regreso de los monopolios inquietan, y con razón, a los ciudadanos. Se acuerdan de las advertencias lanzadas no hace tanto tiempo por George Orwell y Aldous Huxley (de cuyo nacimiento se celebró el centenario en 1994) contra el falso progreso de un mundo administrado por un pensamiento único. Temen la posibilidad de un condicionamiento sutil de las mentalidades a escala planetaria. Dentro del esquema industrial que han concebido los patrones de las empresas del ocio, todos constatan que la información es ante todo considerada como una mercancía y que este carácter es, con mucho, más fuerte que la misión fundamental de los medios de comunicación: iluminar y enriquecer el debate democrático.

Esto suscita en ciertos ciudadanos una sumisión sin límites, una indiferencia que algunos llaman consenso. Y en otros, un sentimiento cada vez más consciente y violento de que la acumulación de abusos, manipulaciones, y vigilancias, al servicio de los nuevos poderes, amenaza con corromper la democracia.

A riesgo de negar los principios y prácticas democráticas, los nuevos amos del mundo multiplican de este modo, con la complicidad de los Estados, las medidas preventivas de vigilancia, en especial de las poblaciones marginadas cada vez más numerosas por la crisis.

Las herramientas futuristas de información y comunicación sirven más para el condicionamiento y el cerco de los ciudadanos que para su emancipación. ¿Es esto tolerable? Si nadie controla a los guardianes del nuevo orden social, ¿qué peligros para la democracia?

Ni el Sr. Ted Turner de CNN, ni el Sr. Rupert Murdoch de News Corporation Limited, ni el Sr. Bill Gates, de Microsoft, ni el Sr. Jeffrey Vinik, de Fidelity Investments, ni el Sr. Larry Rong, de China Trust & International Investment, ni el Sr. Robert Allen, de ATT, no más que el Sr. George Soros o decenas de otros nuevos amos del mundo, han sometido nunca sus proyectos a sufragio universal. La democracia no es para ellos. Se consideran por encima de estas interminables discusiones en las que conceptos como el *bien público,* la *felicidad social,* la *libertad,* la *igualdad* y la *solidaridad,* tienen todavía sentido. No tienen tiempo que perder. Su dinero, sus productos y sus ideas atraviesan sin obstáculos, en la era de la globalización, las fronteras del mercado mundializado.

A sus ojos, el poder político no es sino el tercer poder. Antes está el poder económico y luego el poder mediático. Y cuando se posee esos dos, como bien ha demostrado en Italia el Sr. Berlusconi, hacerse con el poder político no es más que una formalidad.

GLOSARIO

ACUERDOS DE BRETTON WOODS. Acuerdos firmados en 1944 por los países aliados con el objetivo de poner orden en el sistema de relaciones comerciales y monetarias internacionales. Entre sus fines estaba el de mantener estables los tipos de cambio entre los mercados.

BANCO MUNDIAL Y FONDO MONETARIO INTERNACIONAL (FMI). Instituciones creadas en 1944 en el marco de los acuerdos de Bretton Woods. Pretenden mantener estable el Sistema Monetario Internacional y condicionar las políticas económicas a través de la concesión, o no, de créditos a los diferentes países cuando tienen problemas de balanza de pagos o necesitan financiar proyectos de desarrollo.

GATT (Acuerdos Generales sobre Aranceles Aduaneros y Comerciales). Acuerdos firmados en 1947 para propiciar el libre comercio, suprimir trabas a los intercambios y abaratar las tarifas aduaneras. Después se institucionaliza como organización destinada a velar por la liberación de la economía mundial. Actualmente ha sido sustituido por la Organización Mundial del Comercio (OMC).

LIBERALIZACIÓN (DESREGULACIÓN). Políticas destinadas a reducir las regulaciones o reglamentaciones estatales a favor del libre comercio.

MERCADOS DE DERIVADOS O DE FUTUROS. Mercados en los que se establece hoy un precio para la entrega en el futuro de un determinado bien. Existen mercados de futuros de bienes como el trigo o el petróleo, pero en las últimas décadas han adquirido mucha importancia los mercados de futuros de activos financieros.

MUNDIALIZACIÓN. Tendencia actual a una mayor interrelación de las economías nacionales con la economía internacional a nivel de movimientos de capitales y flujos comerciales.

SISTEMA MONETARIO INTERNACIONAL. Conjunto de instituciones que regulan los pagos internacionales. Desde 1945 y hasta principios de los años setenta funciona un sistema de cambio básicamente fijo entre las monedas, y el dólar tiene un papel privilegiado como medio de cambio internacional. Posteriormente el SMI se ha caracterizado por una gran inestabilidad de los tipos de cambio.

BIBLIOGRAFÍA

BARNET, Richard y John CAVANAGH (1995), *Sueños Globales: multinacionales y el nuevo orden mundial,* Flor del Viento, Barcelona.

BELLO, Walden (1994), *Victoria Siniestra. EE UU, La estrategia del ajuste estructural,* Ed. Instituto del Tercer Mundo, Montevideo.

BERZOSA, Carlos (comp.) (1994), *La economía mundial en los noventa. Tendencias y desafíos,* Icaria editorial, Barcelona.

CAVANAGH, John, Marcos ARRUDA, y Daphne WISHAM (ed.) (1994), *Alternativas al orden económico global. Más allá de Bretton Woods,* Icaria editorial, Barcelona.

CHOMSKY, Noam (1994), *Las intenciones del Tío Sam.* Ed. Txalaparta, Tafalla.

— (1994), *World orders old and new.* Columbia University Press, Nueva York.

— (1994), *Política y cultura a finales del siglo XX.* Ariel, Barcelona.

FERNÁNDEZ DURAN, Ramón (1993), *La explosión del desorden. La metrópoli como espacio de la crisis global,* Ed. Fundamentos, Madrid.

GEORGE, Susan (1990), *La trampa de la deuda. Tercer Mundo y dependencia,* Iepala, Madrid.

— (1994), *La Religión del crédito*. Octaedro-Intermón, Barcelona.

MATTELART, Armand (1995), *La invención de la comunicación*, Ed. Bosch Comunicación, Barcelona.

MURCIANO, Marcial (1993), *Estructura dinámica de la comunicación internacional*, Ed. Bosch Comunicación, Barcelona.

VV AA (1994), *La aldea Babel. Medios de comunicación y relaciones Norte-Sur*, Deriva Editorial, Barcelona.

Otros títulos de esta colección